Blagierka

Projekt okładki:
Marta Blachura

Korekta: Magdalena Granosik

Wydanie I, Łódź 2010

ISBN 978-83-61635-54-3

Wydrukowano na papierze
Eco-Book 70 g/m^2
dostarczonym przez
MAP Polska Sp. z o.o.

AKAPIT PRESS Sp. z o.o.
93-410 Łódź, ul. Łukowa 18 B
tel./fax: (042) 680-93-70
Księgarnia internetowa: **www.akapit-press.com.pl**
Dział zamówień: **zamawiam@akapit-press.com.pl**
e-mail: info@akapit-press.com.pl

Druk i oprawa:
DRUKARNIA KSIĘŻY WERBISTÓW
86-134 Dragacz, Górna Grupa, ul. Klasztorna 4
tel. (0-52) 3306377, fax (0-52) 3306378
e-mail:dw@drukarnia-svd.com.pl
www.drukarnia-svd.com.pl

Izabela Sowa

Blagierka

„Hej, człowieku w pierwszym rzędzie,
panie decydencie z agencji reklamowej.
Hej, panie menadżerze, z MTV prezenterze,
słynna dziennikarko,
mamy butelki z benzyną i kamienie,
wymierzone w ciebie"

CKOD „Butelki"

Blagierka

– Dobry kit to połowa sukcesu. Resztę zapewnia odpowiednio dobrany zespół – wyjaśniłam Bondowi.

Bond to mój facet. Niedługo kończy dwadzieścia pięć lat (Ćwierć wieku! Lepiej sobie tego nie wyobrażać!). Jest dorosły, samodzielny i stanowczo za bardzo się o mnie martwi. Dlatego muszę go przekonywać, że dam radę.

– Dam radę, spoko – powtórzyłam po raz enty.

– Żeby nie było jak z ostatnią akcją – mruknął.

Ach, słynna „godzina bez prądu". No tak, dałam się nabrać. *Sześćdziesiąt sześć minut siedzenia przy gromnicy (świeczki tortowe gdzieś się zapodziały, jak zwykle). Trzy tysiące dziewięćset sześćdziesiąt sekund obezwładniającej nudy zakończonych kosmiczną kraksą. Kiedy wreszcie ruszyłam z fotela, żeby włączyć lampę, nadziałam się na ostry róg stolika, nabijając sobie siniaka wielkości Bajkału.*

Przy okazji zwaliłam gromnicę. Buchnął ogień. Ulubiona serweta mamy, niech to! Kto by pomyślał, że koronki są takie łatwo palne! By nie dopuścić do pożaru, zrzuciłam serwetę na podłogę i energicznie przydeptałam. Po włączeniu światła oceniłam straty. Spalona serweta i spody moich nowych kapci, uszkodzone drewniane panele, plamy z wosku na dywanie, zbity wazon. I ogromny siniec na moim lewym udzie.

– Ale było warto – oznajmiłam po wszystkim Chesusowi.

Chesus uczył mnie hiszpańskiego. Do września. Po powrocie z wakacji przypomniał sobie, że jest Katalończykiem. Gotowym, by walczyć o wolną ojczyznę. Jako bojownik, oznajmił, przestaje używać española, języka okupanta. Ale, żeby nie tracić ze mną kontaktu, proponuje nową formułę spotkań. Zamiast konwersacji – zajęcia poświęcone Katalonii. Wygłaszane łamanym polskim. Zgodziłam się na zmianę. Jako jedyna z trzynastu uczniów Chesusa. Wzruszony gestem, obiecał, że raz na miesiąc sprawdzi mi wypracowanie. Ale robił przy tym miny jak na ostrym dyżurze u dentysty, więc odpuściłam. W ten sposób mój hiszpański porasta pleśnią, za to wiedza o Katalonii poszerza się szybciej niż nasz wszechświat.

– Było warto, mimo zamieszania – powtórzyłam, dumna i blada.

Chesus przestał głaskać swoją łaciatą króliczkę, Montserrat.

– Cała godzina dla nasza Ziemia. Brawo!

Zaklaskał, a mnie zrobiło się głupio.

– Co ci się nie podoba?

– Jedna godzina dla Ziemia. Jedna dnia dla bita kobieta, jedna dla głodna dziecka. I jedna bez zakupa. I bez dyma. A potem juś normalna: wolno bić, śmiecić, palić i kupować. Visca cywilizacja!

– Lepszy rydz niż nic – odburknęłam.

– To jest nic! – rozsierdził się Chesus. – Wielkie nic! Pół miasta gasi światło, a elektrownia pracuje dalej.

– Krótko mówiąc, ściema. Ale teraz...

– Teraz będzie zupełnie inaczej – zapewniłam Bonda. – Dam sobie radę, wierz mi.

– Zresztą nie mam wyjścia, skoro już się stało.

DZIEŃ WCZEŚNIEJ

– Nasz dyrektor jest stanowczo zbyt otwarty – orzekła Kama, sunąc krokiem modelki po parkiecie naszej auli.

– Dostał na ten cel spore fundusze unijne – wyjaśnił Mikołaj. – I musi wydać, inaczej przepadną.

– Niech zaprosi do nas uczniów z Odense, jak rok temu. Albo nawet z Rygi. Ale nie z Zarzecza!

– W dodatku z budowlanki – prychnął Joszko, przyszły notariusz i współwłaściciel kancelarii prawnej w Ścisłym Centrum, jak mi oznajmił podczas andrzejek. Zamiast porwać mnie do tańca, opisał ze szczegółami wygląd przyszłego domu. Poczynając od marmurowych parapetów po dwie stówy za metr kwadratowy. Przy dębowym parkiecie szeroko ziewnęłam. Zarabiając u Joszka pierwszą krechę.

– Co ci przeszkadza budowlanka? – odezwał się Łukasz, poirytowany. Ma brata w technikum budowlanym. Na szczęście w Ścisłym Centrum.

– Nie przeszkadza. Po prostu nie muszę się integrować z burakami.

– Nie gardziłabym ludźmi, którzy kiedyś będą budować ci dom – wtrąciłam. – Z nerwów mogą źle przyciąć marmury. Albo zamurować zgniłe jajo.

Tak właśnie zrobili wujkowi Klopsikowi. Przez rok szukał źródła smrodu w swoim Reprezentacyjnym Pokoju. Przeczesał wszystkie zakamarki, rozrył pół podłogi, niszcząc panele z imitacji drzewa tekowego, porozkręcał nawet wszystkie święte figurki. Wreszcie znalazł. Dwa zbuki wmurowane pod boazerią z imitacji sekwoi.

– Podam ich do sądu – oznajmił Joszko takim tonem, jakby już przyłapał ekipę na kombinowaniu.

– Usiedliśmy po prawej stronie auli. Przybysze zajęli ławki naprzeciwko. Taki układ nie sprzyja integracji, ale nie będę instruować Dyra. Ma od tego sztab doradców: Jodynę, naszą higienistkę, magister Matyldę Lotos, księdza Matriksa i swoją mamę.

– Ale obciachy – mruknął Joszko, gładząc rękaw swojego nowego swetra. – Ci trzej przyszli w dresach. Podróbki Puchy.

– Zarzecze – skwitowała Kama.

– Koniec świata, naprawdę – rzuciłam z ironią, której nikt nie wychwycił. Bo i po co?

– Patrzcie na tego opalonego. Polski Komancz. Brakuje tylko łuku.

– Odebrali mu w rezerwacie, żeby nie zrobił sobie krzywdy.

Zerknęłam i od razu go poznałam. Krejzol! Spotkaliśmy się tylko raz, wieki temu. *To znaczy w ostatniej gimnazjum. Zimą pojechałam na Zarzecze, oddać zeszyty Aśce. Rzadko tam bywam (bo daleko, ponuro i brak fajnych miejscówek), więc oczywiście pomyliłam tramwaje i wylądowałam na osiedlu Strachy. Osiedlu, którego wyjątkowo nie cierpię. Przez trzy lata udało mi się trzymać dystans, chwila nieuwagi i... Trudno, mruknęłam, naciągając kaptur. Grunt to nie pękać. Ruszyłam wyluzowanym krokiem ziomalki, która zna tu każdy kamień. Nagle kątem oka dostrzegłam maszerujących w moją stronę czterech karków. Przyśpieszyłam, karki również. Weszłam w kłus, oni także, więc wrzuciłam piąty bieg i rura, w stronę ulicy. Byle dotrzeć do jakiegoś przystanku. Jak na złość pochowały się wszystkie. Sklepy zamknięte, knajpy ukryte gdzieś w piwnicach, na ulicy żywego ducha. Popędziłam wzdłuż alei Ziomków, oddzielającej osiedle Strachy od osiedla Kozackiego. I dałabym chyba radę, gdyby nie buty. Włożyłam nowe, supermodne, z Londynu, ale o podeszwach tak gładkich jak narty. Wpadłam w poślizg i runęłam w zaspę. Podnoszę głowę, a nade mną cztery opalone na Indiańca twarze.*

– Czemuś tak biegła, laska?

– Bo mnie goniliście.

– Bo uciekałaś – zauważył najmniej wyrośnięty, za to najbardziej spieczony, pomagając mi wstać. O mało przy tym nie wyrwał mi barku.

– Ejże, Krejzol. Nie tak było – poprawił go zakapturzony brunet. – Myśleliśmy, że psy zza alei cię gonią, to ruszyliśmy na ratunek. Nie, chłopaki?

– Przezornie podziękowałam. Spieczony szybko zaproponował, że mnie odprowadzi na tramwaj. Taki rycerz.

– Kto pierwszy, ten lepszy – rzucił w kierunku chłopaków.

Zrozumieli. Bez szemrania odeszli na bok i stanęli w rozkroku. Podreptaliśmy z Krejzolem do przystanku, gadając o bzdurach. To znaczy, ja nawijałam, żeby szybciej zleciało. Krejzol raz czy dwa coś mruknął, że niby kuma, a na koniec spytał, czy dam sobie radę i przybił piątkę. Tak po prostu! Nawet nie zapytał mnie o imię. Ani o ulubiony zespół. Ani o znak zodiaku! Niesłychane! Byłam zła przez cały wieczór, ale potem dotarło do mnie, że Krejzol nie chciał nawet próbować. Za wysokie progi, pomyślał, więc odpuścił i wrócił tam, gdzie jego buda. Od razu mu wybaczyłam. A tydzień później cała sprawa wyleciała mi z pamięci.

I teraz nagle spotkanie. Zaczęłam się przyglądać Krejzolowi tak intensywnie, że wreszcie na mnie zerknął. Zaraz spuścił wzrok, nerwowo bawiąc się zamkiem od bluzy. Poznał mnie, fajnie. To znaczy nic w tym dziwnego. Na ogół zapadam facetom w pamięć.

Na aulę wszedł nasz Dyru ramię w ramię z ich dyrektorem, dwumetrowym niedźwiedziem w dziwnym uniformie.

– Wygląda jak ruski generał – szydził Joszko.

Nawet ja musiałam przyznać mu rację. Rzeczywiście, generał. Stanął na baczność z miną człowieka, który bez wahania zesłałby na Sybir pół swojej szkoły. Gestem dłoni nakazał ciszę, a potem w milczeniu odmaszerował na swoje miejsce. Kiedy zasiadł, kiwnął głową Dyrowi na znak, że może zaczynać. Dyru odchrząknął, poluzował kołnierzyk koszuli i zaczął nudne, na szczęście krótkie, przemówienie o potrzebie integracji. Podziękował, komu trzeba, a potem wyjaśnił, jaki jest cel naszego spotkania. Wspólna troska o Matkę Ziemię.

– Wspaniale – szepnął Joszko. – Już nie mogę się doczekać.

– Na początek zastanówmy się, co już zrobiono – zagrzmiał Dyru. – Jakieś budujące przykłady.

Blagierka

W górę wystrzelił las rąk. Oczywiście III a. Efekciarze. Ale pierwszy odezwał się Joszko. Nawet nie wyciągnął wcześniej dłoni. Po prostu zabrał głos, nie czekając, aż ktoś mu go udzieli. Sprytne.

– W dobrych zagranicznych hotelach spotkałem się z następującą praktyką – przy słowach „dobry" i „zagraniczny" Joszko lekko mlasnął językiem, jakby smakował karmelka. – W łazienkach wisi informacja, żeby dla oszczędności wody nie zmieniać często ręczników.

– I na informacji się kończy – mruknęłam. Wydawało mi się, że cicho. Ale nie dość cicho dla generała. Najwyraźniej nie dowodzi artylerią.

– Masz w tym względzie jakieś doświadczenia? – spytał groźnym basem.

Jeśli myślał, że mnie przestraszy, to się grubo pomylił. Zresztą nawet gdyby, muszę trzymać fason przed Kamą, Joszkiem i resztą mojej klasy.

– Owszem. Próbowałam oszczędzać. Nic z tego.

– Może to nie był dobry hotel – wtrącił się Joszko.

– Pięciogwiazdkowy.

Tak naprawdę były cztery, za to prawdziwe, unijne. Żadne tam słoneczka czy słoniki. *Rodzice chcieli mi wynagrodzić półroczną nieobecność i szarpnęli się na porządny ośrodek SPA, niedaleko Kemeru. Małe budynki w pięknym ogrodzie, plaża zakwalifikowana na listę Blue Flag, duże pokoje, a w łazienkach owa cenna informacja, o której wspomniał Joszko. „Czy wiesz, drogi turysto, ile energii pochłania codzienne pranie ręczników?" Tyle, że w głowie się nie mieści. Więc, żeby chronić środowisko, zostawiałam ręcznik na wieszaku. Niestety, codziennie witał mnie nowy, czysty. Po trzech dniach zeszłam do recepcji i mówię, w czym problem. Recepcjonista nie załapał, więc poszedł po kierownika. I po zastępcę. We trzech spokojnie wysłuchali, o co mi chodzi. A potem wybuchli śmiechem. Kto inny by wymiękł, na miejscu. Ale nie ja. Odczekałam, aż przestaną rechotać, i zblazowanym tonem orzekłam.*

– Mnie tam jest wszystko jedno. Ale wam nie powinno być. Bo tych ścieków nie weźmiemy ze sobą. Zostaną w Turcji.

W odpowiedzi zaproponowali mi randkę nad morzem.

– Tak to wygląda w praktyce – zakończyłam.

– Dlatego nie przyjęliśmy Turków do Unii – skwitował Joszko takim tonem, jakby to on decydował o członkostwie. – Muszą się jeszcze dużo nauczyć od cywilizowanych narodów.

Słowo „cywilizowany" podziałało mi na nerwy. A może sam Joszko? Jest z siebie tak cholernie zadowolony. Kiedy odmówiłam wspólnego wypadu do multipleksu, uśmiechnął się tylko i odrzekł: „Zastanów się, Paris, póki masz szansę. Za dwadzieścia lat będziesz dla mnie za stara". Natychmiast odparowałam, żeby skupił się na zarabianiu, bo pieniądze bardzo mu się przydadzą w nowych związkach. Kto wie, czy nie będą jedynym wabikiem. Od tego czasu nie rozmawiamy ze sobą. Bo słownych przepychanek nie można chyba nazwać rozmową.

– Cywilizowanych – rzuciłam – dlatego że raz w roku wypuszczą swoje dzieci do lasu na wielkie sprzątanie?

– Uważasz, że takie akcje są niepotrzebne? – zainteresowała się Matylda Lotos, nasza wychowawczyni, pedagog szkolny i, jak podkreśla, dyplomowany specjalista od technik relaksacyjnych. Specjalista, nie specjalistka.

– Przede wszystkim są nieskuteczne. Podobnie jak „godzina bez prądu". – Postanowiłam się popisać wiedzą zdobytą od Chesusa. – Ludzie wyłączają prąd, a elektrownia pracuje dalej. Ale nie to jest najgorsze – ciągnęłam. – Kiedy po akcji wszyscy jednocześnie włączają światło, dochodzi do obciążenia sieci. Krótko mówiąc, zamiast oszczędności mamy straty.

– Ale to piękny gest – upierała się Matylda Lotos.

– Gestami nie zmienimy świata.

– Masz lepsze pomysły? – spytał Dyru.

– Zmarszczyłam brwi, po cichu recytując od tyłu alfabet. Podobno sprawiam wtedy wrażenie bardzo skupionej.

– Chociaż jeden lepszy pomysł – odezwał się Dyru.

Co za niecierpliwość! Nie dotarłam nawet do „m", a ten już cały chodzi. Jak doberman.

– Przede wszystkim – zawiesiłam głos dla wzmocnienia efektu – działania muszą być długofalowe. Jeden dzień w roku to żałośnie mało.

– Zgadza się.

– Poza tym należy wyjść poza własny ogródek. To znaczy idealnie byłoby zastosować zasadę „Myśl globalnie, działaj lokalnie".

Zupełnie nie wiem, czemu to wyrecytowałam. Może dlatego, że zwykle robi wrażenie.

– Jakieś konkrety? – drążył Joszko, jakby wiedząc, że nie mam żadnych. Chyba zapomniał, że jestem mistrzynią improwizacji.

– Chodziło mi o projekt edukacyjny, dzięki któremu dotarlibyśmy do tłumów, prezentując prawdziwe rozwiązania eko, a nie żałosne namiastki.

– Prezentować można, gorzej z dotarciem – westchnęła Aleks. Największa smuciara w szkole, dlatego za plecami nazywamy ją Ale-chandrą.

– Jest tyle możliwości! Na przykład telewizja śniadaniowa. Trafia do milionów ludzi. I to skutecznie!

Moja babcia, na przykład, używała tylko margaryny. Od czasów wojny. I nagle w jakimś programie powiedzieli, że jednak masło. W ciągu jednego dnia zrewolucjonizowała dietę. A to podobno trudniejsze niż zmiana parafii.

– Telewizja trafia, owszem, ale jak trafić do telewizji.

Kolejna maruda! Dlatego w naszym kraju nigdy nie będzie takich karnawałów jak w Rio. Nawet gdyby znaleźli się zapaleńcy gotowi wszystko zorganizować, ponura większość szybko by ich zgasiła. Że za zimno, za drogo i brak niemieckich autostrad.

– Niektórym się udaje – wsparł mnie Mikołaj. A kiedy Mikołaj kogoś wspiera, to znak, że jesteś na spalonej pozycji.

– Po latach upokarzających podchodów – westchnęła Matylda Lotos. Czyżby pod zrelaksowaną powłoką specjalisty kryły się grudy bolesnych doświadczeń?

– To olejmy telewizję i znajdźmy inny kanał dostępu. Na przykład internet – podsunęłam. – Zagląda tam mnóstwo ludzi. Można by zrobić specjalną stronę. Albo poprowadzić blog. Oczywiście proeko. – To teraz takie modne.

– Wymaga sporo...

– Przede wszystkim – przerwałam Joszkowi – wymaga dobrych chęci. I zapału. A cała reszta... – Machnęłam dłonią, pokazując, że to łatwizna. – Bułka z masłem.

– Więc mogłabyś coś takiego poprowadzić.

Inni w podobnych sytuacjach wyrażają zdziwienie. Gestem, słowem, głupią miną. Ale nie ja. Mam prawie osiemnaście lat, sporo przeżyłam i nic mnie już nie zdziwi.

– Mogłabym i chętnie bym się podjęła – odpowiedziałam, patrząc Dyrowi prosto w modne okulary – ale nie teraz...

Zawiesiłam głos, głęboko wzdychając. Dyru powinien zrozumieć, że matura, a za chwilę studia. Słowem: zmiany. Zresztą dlaczego właśnie ja? Nie wystarczy, że podrzucam superpomysł całej szkole?

– Tak myślałem – skwitował Joszko z kpiącym uśmieszkiem. – Łatwo szydzić z działań innych, a samemu...

– Naprawdę chętnie bym się tym zajęła, ale nie przed maturą. I jeszcze w pojedynkę.

– Możesz zaprosić kogoś do współpracy.

Niech żyje Matylda Lotos i jej wspaniałe propozycje!

– Niekoniecznie z naszej szkoły – podchwycił Dyru, ożywiony. Wielki zwolennik integracji.

– Może kolegów Indian – zasugerował Joszko. Niby szeptem, ale wszyscy usłyszeli. Za naszymi plecami rozległy się rechoty.

Natychmiast podjęłam decyzję.

– Myślę, że to dobry pomysł. Taki wspólny, integracyjny ekoprojekt – odezwałam się głośno.

Rechoty ucichły. Kama nerwowo przełknęła ślinę. Ktoś z tyłu szepnął: „Odbiło jej, czy co?"

– Dlatego spróbuję – rzuciłam wyzwanie. Sama nie wiem komu.

– Wybrałaś już właściwą osobę?

Omiotłam wzrokiem przybyszów z Zarzecza. A potem kiwnęłam głową, wskazując na wybrańca.

– Jesteś pewna? – spytał generał głosem, który miał mnie zniechęcić.

Ale było już za późno, żeby się wycofać. Przytaknęłam.

*

– Wielkie dzięki! Ja o niczym innym nie marzyłem!

Spodziewałam się większego entuzjazmu. W końcu to spore wyróżnienie.

– Nie prosiłem się o nie – burknął Krejzol.

Wyszliśmy zaraz po integracyjnym spotkaniu w auli, odprowadzani szyderczymi szeptami i chichotem Joszka. Jeszcze nigdy nie maszerowałam taka wyprostowana. Jak wujek Klopsik po ataku rwy kulszowej.

– Nie prosiłem się – powtórzył Krejzol, przyśpieszając kroku.

I dobrze. Bo był to mój własny, wolny – no, nie do końca – wybór.

– Po coś to zrobiła, z litości?

Po co? Po co? Musimy od razu analizować? Stało się, nawet nie wiem kiedy. Joszko rzucił durną uwagę i nagle... pozamiatane.

– Na pewno nie z litości – skłamałam. – Miałam wiele różnych powodów.

– Podaj choć jeden sensowny.

Wszystkie zostały gdzieś w tyle, za nami. Pewnie dlatego, że tak pędziliśmy.

– Mogłeś się nie zgodzić – odbiłam piłeczkę. – Powiedzieć, że nie masz czasu albo...

– Nie mogłem.

– Dyrektor? – domyśliłam się. – Pewnie wysyła was za koło polarne?

– Malicki? Muchy by nie skrzywdził.

Pozory jednak mylą.

– To czemu nie odmówiłeś?

– Bo, bo – Krejzol przełknął ślinę. – Nie chciałem wyjść na cykora przed twoimi kumplami.

– Chciałeś im pokazać? – ucieszyłam się. To zupełnie jak ja, ale nie muszę od razu zdradzać tego Krejzolowi. – I pokażemy. Masz moje słowo.

*

Na początek uzgodniłam terminy następnych spotkań. W soboty (pasują każdemu). Pierwsze już przed Zaduszkami. Miejsce: u mnie w chacie. Do tego czasu ustalę, naszkicuję kierunek działania.

– Może nawet kilka – fantazjowałam podczas dużej przerwy.

W naszej szkole duża przerwa trwa równą godzinę, tak żeby spokojnie zjeść obiad, a nawet o nim zapomnieć. Albo posiedzieć w Gołębniku, pobliskiej kafejce, i odprężyć się przed następnymi lekcjami. My (ja, Kama, Aleks, Mikołaj i siostry Brönte) wybieramy Gołębnik. Także z powodu diety. To znaczy, ja się nie odchudzam, nie muszę. Ale jedzenie obiadu w szkolnej stołówce to żadna przyjemność. Nie chodzi wcale o menu. Stołówka zawsze będzie stołówką, nieważne, czy w niemieckim wojsku, rosyjskiej fabryce TIR-ów, czy Artystycznym Liceum z Klasą. Zresztą muszę się trochę integrować, żeby nie gadano, jak to odstaję od zespołu. Dlatego zaraz po angielskim turlamy się do Gołębnika i zajmujemy najlepszy stolik. Ustawiony na podeście z kanapą, na której można się rozłożyć jak u siebie w pokoju. Co robi tylko Aleks, osuwając się niedbale z poduch. Reszta lasek trzyma pozycję „zwarta i gotowa". W końcu jesteśmy na widoku, a „jak cię widzą, tak obmalują", mawia Kama, poprawiając włosy. Dlatego trzymamy fason. Kiedy już każda zajmie ulubioną pozycję strategiczną, Mikołaj zbiera od nas kasę i zamawia sześć moccacino albo zieloną herbatę. I czasem kolkę dla Joszka. Przynosi (na jednej tacy, taki silny!) i zaczynamy plotkować. Dzisiejszy temat: mój rewolucyjny ekoprojekt. Jego rewolucyjność polega na integracji z Krejzolem.

– Naprawdę wpuścisz go za próg? – Nie dowierzała Kama, rozwijając z folii lizaka.

To jej ulubiona przekąska i nieodzowny gadżet (dopasowany kolorem do oprawek okularów). Można powiedzieć, że dopiero z lizakiem w dłoni Kama stanowi całość.

– A jeśli cię okradnie?

Wzruszyłam ramionami na znak, że się nie boję.

– Zresztą, co może wynieść? Fotele?

– Po tych z Zarzecza nigdy nie wiadomo – wsparła Kamę Aleks. – Ja w gimnazjum chodziłam z gostkiem z Kozackiego. Na walentynki dał mi pierścionek z cyrkoniami. A tydzień później zabrał po kryjomu, bo to był pierścionek jego siostry. I jeszcze dopytywał, dlaczego nie noszę. A ja się tłumaczyłam gęsto, przeżywałam po nocach. Szkoda mówić. Kiedy się wydało, chciałam z nim zerwać, ale zrobił to pierwszy.

– Co za chamstwo – oburzał się Mikołaj.

Reszta dziewczyn okazała mniej zrozumienia.

– Chodziłaś z gostkiem z Zarzecza? – zdumiały się siostry Brönte, podekscytowane egzotyką dzielnicy.

– Byłam wtedy młoda i naiwna – wyjaśniła Aleks. – Zresztą skąd mogłam wiedzieć, że jest z Zarzecza? Poznaliśmy się na basenie w Pięknych Widokach.

– Mogłaś zapytać – podsunęła Kama. – Ja tak robię na pierwszym spotkaniu.

Pewnie dlatego nigdy nie dochodzi do następnych.

– Ale że Paris się zdecydowała na taki krok. Wpuszczać obcego...

A gdzie mieliśmy się spotkać? U niego w chacie? Sam dojazd na Zarzecze trwa prawie pół godziny. Znowu w knajpie trochę głupio. Ktoś mógłby pomyśleć, że chodzimy.

– Lubię wyzwania – odparłam. – Bez ryzyka życie nie ma smaku.

– Ale już za sześć tygodni mikołajki – martwiła się Aleks.

Blagierka

Że też musiała przypominać. Cholerne mikołajkowe popisy. Tradycja, którą ustanowił poprzedni dyrektor naszej szkoły i autor jej nowej nazwy. Kiedyś Państwowe LO im. Batalionów Chłopskich, obecnie Artystyczne Liceum z Klasą. Taka transformacja, uznał dyrektor, wymaga odpowiedniej oprawy. Oraz nowych zwyczajów. Dlatego każdej jesieni klasy maturalne szykują występ stanowiący podsumowanie ich dokonań jako zespołu. I żywy dowód na to, że liceum zasługuje na swój przydomek. Jedni robią wystawę grafik. Inni – pokaz tańców latino. To drugie bardzo by mi pasowało, niestety, nasza klasa jest zbyt ambitna, by się ograniczyć do pląsania. Tak oświadczyła jesienią magister Lotos. Dlatego wystawiamy „Śniegową kulę". Sztukę o eskalacji przemocy. Na szczęście mnie się dostała rólka, można by rzec, miniaturowa. Choć trzeba przyznać efektowna. W ciągu czterdziestu czterech sekund mam zastrzelić czterech groźnych mafiozów (jednego z nich gra Joszko) i przy okazji wygłosić cztery króciutkie kwestie. Na samą myśl krew krzepnie mi w żyłach. Nie tylko dlatego, że nie cierpię broni (nawet niegroźnych straszaków), także z powodu zdolności aktorskich. Czy raczej ich braku. Wstyd to wyznać, ale na scenie zmieniam się w kloc drewna. A przecież w realu tak świetnie sobie radzę z graniem. Nie chwaląc się, umiem sprzedawać blagę. Na przykład teraz.

– To tylko zwykłe szkolne przedstawienie – rzuciłam na luzie.

– I tylko cztery krótkie zdania – przypomniał wszystkim Joszko. – Nawet papugę by nauczył, prawda?

– Ale żadna papuga nie miałaby takiej przyjemności z odegrania sceny egzekucji – odparowałam, mierząc Joszka chłodnym wzrokiem.

– Potem masz urodziny, studniówkę i olimpiadę z polskiego – Aleks wróciła do wyliczanki. Najwyraźniej chce mi udowodnić, że mam przekichane. A w maju matura. Jak ty to wszystko pogodzisz z projektem?

Skupię się na szeroko pojętej kreacji, ciężkie prace zlecając Krejzolowi. W końcu od tego jest, od dźwigania moich koncepcji.

*

Z koncepcjami na razie troszkę słabo. Pewnie z powodu zbliżających się egzaminów. Dziwna sprawa, bo przecież wszystko mam pod kontrolą. Testy zaliczane na bieżąco, żadnych zaległości (nie licząc hiszpańskiego). I co ważne, staram się podchodzić na luzie. Nie tak jak Aleks, która ciągle wymyśla nowe wizje maturalnej porażki, siejąc panikę wśród sióstr Brönte. Ostatnio zastanawiała się, co zrobi, jeśli wypadną jej szkła kontaktowe. Albo zgubi zapasowy długopis.

– Będziesz pisać zwyczajnym – odparłam beztrosko.

A potem nie mogłam zasnąć aż do rana. Koło trzeciej zwlokłam się z łóżka, żeby sprawdzić, czy nie ma pełni. Wtedy najlepiej zastosować patent naszego fizyka. Postawić na parapecie szklankę wody i człowiek śpi jak zabity. Bez żadnych koszmarów. Ale pełni nie było. Więc o co chodzi? Przecież nie o durny długopis. No dobra, przyznaję, ja też boję się matury. Znacznie mniej niż Aleks, ale jednak. Napięcie rośnie. Co nie znaczy, że będę zaraz panikować. To zupełnie nie w moim stylu.

– A co jest w twoja stilo? – dopytywał Chesus.

To akurat proste. Dystans, także do siebie, szeroko pojęty fason. I poczucie humoru. Dzięki nim mam znakomity PR w szkole, na licznych warsztatach, wśród kolegów Bonda. Długo by wyliczać, gdzie jeszcze.

– Co ci daje?

– Jestem w czołówce. To bardzo ułatwia życie.

– Jak bardzo?

Chesus najwyraźniej nie przygotował się do lekcji i szuka tematów zastępczych.

– Nie musisz się tłumaczyć ani przepraszać za cudze błędy.

Nie przepraszasz nawet za własne. Ludzie i tak cię szanują. Z tego samego powodu zostałam prymuską. Dobremu uczniowi więcej uchodzi płazem. Pałkarz jest stale na cenzurowanym. Ciągle musi udowadniać, że zasłużył na marną trójczynę.

– Jestem zbyt wygodna, żeby tak się męczyć. Rozumiesz?

Przytaknął, więc niby OK. Ale coś mi nie gra. Coś tu jest niehalo. Na razie nie będę tego rozgrzebywać, wolę się skupić na konkretach. Na przykład przerobić pozytywistów. To, obok literatury staropolskiej, ulubiona epoka speców wymyślających tematy maturalne. Ja bym wolała coś bardziej dynamicznego, jak Broniewski. Bo Konopnicka przynudza, a Prus mnie drażni. Może nie tyle on, co Wokulski. Przyjeżdża taki z Syberii, czerwonymi łapskami wykłada forsę na stół – i oczekuje miłości? Od lalki? Tego nie wymyśliłby nawet zespół scenarzystów „Brzyduli". Ale może kiedyś ludzie byli bardziej naiwni. Lub zadufani, zależy jak patrzeć.

W dodatku traktowali wszystko ze śmiertelną powagą. Zero dystansu! Teraz jest inaczej. Rozrywka rządzi. Dlatego w moim ekoprojekcie będzie mnóstwo zabawy. Ale bez zaniżania poziomu. Muszę pokazać klasie, na co mnie stać. Skoro już dałam się wkręcić, niech to będzie naprawdę coś efektownego.

Pytanie, jak to osiągnąć? Bonda nie chcę stresować, ma wystarczająco dużo zachodu z pracą magisterską. Na inwencję Krejzola raczej bym nie liczyła, na wsparcie znajomych też nie. Podrzucą parę miałkich rad, klepną po plecach, mówiąc: „Głowa do góry", i to wszystko. A potem rozgadają, że Paris sobie nie radzi. Nie, żadnych rad po znajomości! Więc gdzie szukać inspiracji? Już mam! Będę podglądać tych, którym się udało.

*

Na początek zajrzałam do „Miastówki", topowego pisma dla modnych nastolatek. Można tam znaleźć wszystko, co jest trendy, jazzy, a nawet frisky (ożywczy miks słów „freshy" i „risky"). Szablony odjechanych ozdób choinkowych (z podobizną Hannah Montana), kroki do bachaty (poziom pierwszy) i zaraz obok ranking najlepszych szkół tańca w całym regionie, horoskopy, które zawsze się sprawdzają, wzruszające opowiadania o miłości (świetne do czytania w kiblu), dużo mody, jeszcze więcej świeżych plotek, streszczenia głupich lektur. I wreszcie to, co dziewczyny lubią najbardziej (chłopaki także, ale się z tym kryją): porady. Całe mnóstwo. Na przykład: gdzie warto się lansować, czym usunąć plamy po jagodach, jak zrobić prasowane cienie przy użyciu jedwabiu do włosów, jak w miarę równo przyciąć grzywkę, a potem szybko znaleźć awaryjnego fryzjera, który nie ryknie na nasz widok śmiechem. Dodatki też są świetne, szczególnie seria „ABC". Przydatna w gimnazjum, kiedy człowiek jest taki zdezorientowany. Mnie spodobały się najbardziej: „ABC zawierania szkolnych znajomości", „Wakacyjny flirt dla niewtajemniczonych", „ABC bajerowania dla dziewczyn" i znacznie lepsze „ABC bajerowania dla chłopaków" (pozwoliło mi uniknąć paru pułapek). Wreszcie „Konwersacje z nauczycielem – pierwsze kroki". Słowem perełki dla zagubionych.

Teraz, rzecz jasna, nie potrzebuję takich wskazówek. Ale przecież nie szukam ich dla siebie, tylko dla innych. Nasz ekoprojekt ma dotrzeć do wielu młodych ludzi. Ma być trendy, jazzy, a nawet frisky. Dlatego odpuściłam warsztaty reggae tonu i spędziłam cały wieczór na lekturze starych numerów „Miastówki". Po przeczesaniu dwóch roczników znalazłam dziesięć superrad, jak być ekodziewczyną. Dokładnie jest ich dziewięć, plus jedna bonusowa, którą od razu przeczytałam. A brzmiała następująco: „Wróć do samego początku. I tym razem nie oszukuj!". Natychmiast przeskoczyłam do rady pierwszej: „Sortuj śmieci". Nuda, przerabialiśmy to w gimnazjum. Na godzinie wychowawczej, kiedy nie było innych lepszych tematów. Czyli średnio dwa razy w semestrze. Baterie zostawiamy w specjalnych pudełkach. Plastik i metal wrzucamy do kosza żółtego, szkło ciemne do zielonego, papier do białego... a może do niebieskiego albo... nieważne, przecież każdy kubeł jest podpisany wołami. Widać z daleka, o ile człowiek chce patrzeć. No właśnie. Na moim osiedlu, na przykład, panuje olewka. Stare ścierki lądują w papierach, baterie w koszu na metal. Chleb trafia do plastiku, co mnie zresztą nie dziwi. Pieczywo od Edzi smakuje, jakby je zrobiono z poliwinylu. Nawet gołębie kręcą na nie dziobami. Ale reszta odpadków powinna być lepiej sortowana. Niestety, nikomu się nie chce. Więc warto się męczyć w pojedynkę? Uprawiać śmietnikową sztukę dla sztuki? Będę musiała poruszyć ten temat na godzinie wychowawczej. Magister Matylda Lotos zobaczy, że nie lekceważę zadań. Już od środy wypytuje mnie o postępy. Pewnie zbiera punkty, żeby wreszcie zostać nauczycielem dyplomowanym. Nauczycielem, nie nauczycielką. Dlatego tak mnie dociska. Ostatnio wyskoczyła zza winkla, kiedy biegłam do Gołębnika, pytając, jak tam projekt.

– Prace trwają – odparłam, ale widząc jej minę, dodałam zaraz: – Najpierw chcę zwrócić uwagę konsumentów na znakomite polskie produkty. Nasz rynek zalała tandeta produkowana w Chinach. Przez to zamyka się liczne zakłady, rzemiosło upada, a Polacy są zmuszeni do emigracji.

Spuściłam wzrok, przygryzając usta, żeby widziała, że temat nie jest mi obojętny.

– Zapomniałam, że jesteś...

– Eurosierotą – dokończyłam. – Nie bójmy się tego słowa. Wiem, co znaczy mieszkać w pustym mieszkaniu.

Wracać z imprezy w niedzielę przed świtem. Jeść lody na śniadanie. Odkurzać tylko kawałek dywanu, zmywać, kiedy się nazbiera. Krótko mówiąc, luz. Ale inni wolą, żebym przyznała, jak mi ciężko. Więc przyznaję. Bez wdawania się w szczegóły, wychodzę wtedy na twardzielkę, a to bardzo wygodna pozycja. Nikt nie prawi kazań ani nie szafuje dobrymi radami. Nikt, poza magister Lotos. Na początek orzekła, że mi trudno. Cóż za odkrycie!

– Znalazłaś się w sytuacji, która wymaga, byś dorosła wcześniej niż inni. Zrozumiałe, że możesz odczuwać żal lub złość.

Mogłabym przypomnieć magister Lotos, że miałam półtora roku, by to i owo przetrawić. Ale po co ją wybijać z tak pięknie wyślizganego toru?

– Żal lub złość – powtórzyła, wczuwając się w rolę jedynego pocieszyciela. Nie pocieszycielki. – Ale pamiętaj, że dostałaś też ogromną szansę. Bo nic tak człowieka nie rozwija jak droga pod górkę.

Skoro tak, chyba zostanę alpinistką.

– Droga pod górkę, najeżona przeszkodami. Trudna i nużąca. Ale dzięki niej zyskujemy nową perspektywę. Nowy dystans. Nabieramy siły i mądrości. Dlatego zamiast narzekać...

Chwileczkę, jakie „narzekać”? Przecież tylko znacząco westchnęłam!

– Zamiast narzekać, droga Amelio, warto zacisnąć zęby i ruszyć do przodu.

– Do przodu i pod górkę – dodałam.

Magister Lotos nie wyczuła ironii. Była zbyt przejęta swoją mową.

– Potraktuj ten trudny czas jak wyzwanie. Fantastyczną przygodę, dzięki której zyskasz siłę i odporność.

Na wirusy także? Co za wspaniała wiadomość. Nie żebym się przesadnie bała wirusów. Dzieci lekarzy mają właściwy dystans.

– Prace nad projektem postępują? – przypomniała sobie. Tak nagle, aż drgnęłam.

– Oczywiście. W przyszłą sobotę będziemy ustalać konkrety.

– Ufam, że w poniedziałek przedstawisz je na wychowawczej.

– W Zaduszki? – zdziwiłam się.

Magister Lotos rozejrzała się nerwowo. Zawsze tak robi, kiedy ktoś ją przyłapie na pomyłce. Strzela oczami na boki, potem przygryza usta i zaraz znajduje wyjście awaryjne.

– Miałam na myśli następny poniedziałek. Oczywiście.

Zyskałam cały tydzień, super!

– Przedstawię – zapewniłam, nie kryjąc radości.

– To właśnie w tobie lubię. Entuzjazm.

*

Wykreowany na potrzeby chwili. Ale przecież nie będę pozbawiać złudzeń własnej wychowawczyni. „Tam, gdzie inni widzą kolejne nudne zadanie, ty umiesz odkryć w sobie pasję". Szewską chyba. Bo tej prawdziwej nie czułam od przygody z fiołkami. *Dostałam bukiecik od Czajnika. Ot tak, bez okazji. Wstawiłam kwiaty do kieliszka na jajka. Potem zwiędły i trafiły do kosza. Normalna sprawa. I nagle, tydzień później dostałam obsesji. Zapach fiołków śnił mi się po nocach. Marzyłam o fiołkowych perfumach, fiołkowym mydle, konfiturach, soku, nawet pościeli. Podczas nudnych lekcji wychowawczych malowałam w zeszycie malutkie pęczki fiołków. Słowem szaleństwo. Wieczorami łaziłam nad Rzekę, z niepokojem myśląc o tym, że zaraz przyjdzie lato i będzie po fiołkach. Żeby utrwalić ich aromat, postanowiłam przygotować starodawny syrop babuni. Wyszukałam w sieci przepis. Rewelacyjny, sądząc po dołączonych fotkach (wysmukła butla pełna soku w odcieniu fioletu). Uzbierałam pół łubianki fiołkowych płatków (o świcie, jak zalecała autorka przepisu), zalałam wrzątkiem, odstawiłam w słoju na dobę. Potem odsączyłam sinawy płyn i zagotowałam z odpowiednią ilością cukru, otrzymując pół kilo szarawej masy o dziwnym zapachu, która szybko zastygła na kamień. Za pomocą noża odłupałam kawałek, posłodziłam nim herbatę (cierpliwie mieszając, aż się rozpuści). Powoli wypiłam. I nagle przeszło mi, jak ręką odjął.*

A teraz? Podziwiam pasję u innych. I po cichu liczę, że kiedyś też „się zarażę". A póki co, robię właściwe miny, jak widać skutecznie. Sama mina jednak nie wystarczy. Trzeba się porządnie przygotować. Dlatego analizuję kolejne rady z „Miastówki". Wskazówka numer dwa: „Naucz się kodeksu, ułatwia podróżowanie po wyboistej ekostradzie". Najważniejsze określenia to „organiczny", „ekologiczny" i „fair-trade". „Naturalny?" Absolutnie nic dziś nie znaczy. Można go używać do reklamowania syfiastych batonów, odblaskowych oranżad i zupek w proszku. Podobnie jest ze znaczkiem pokazującym przekreślonego króliczka. Człowiek myśli, że dany kosmetyk jest nietestowany, a tymczasem... skucha! Przy okazji dowiedziałam się, że w takich testach co osiem sekund ginie jedno zwierzę. Co znaczy, że rocznie na świecie zabija się w badaniach ponad dwadzieścia dziewięć milionów zwierząt. Psów, kotów, szczurów, źrebaków i łaciatych króliczek. Wyobraziłam sobie Montserrat, radośnie biegającą dookoła moich stóp, i od razu zrobiło mi się niedobrze, więc szybko przeszłam do lektury innych oznaczeń. Jajka. Nie ma co patrzeć na określenia „wiejskie" czy „zdrowe". Znaczą tyle co „naturalne". Trzeba za to zwracać uwagę na cyfry. Przy czym, uwaga, zera są najlepsze. Zupełnie inaczej niż w życiu. Trójka zaś to prawdziwa makabra. Tak zwany chów klatkowy, gdzie powierzchnia jednego „boksu" rzadko przekracza rozmiar kartki A4. Nic dziwnego, że kury dostają szału i wydziobują sobie pióra, przeczytałam, dlatego stosuje się środki zapobiegawcze. Tu fotka. Dziwna maszynka, a obok stos obciętych kurzych dziobków. Tylko tyle, ale poczułam, że muszę się przewietrzyć. Natychmiast! To mój sprawdzony patent na stres. Otwieram okno balkonowe na oścież i zaczynam ostry trening. Najpierw krótka rozgrzewka, potem sto brzuszków (także ukośnych) i wreszcie damskie pompki. Aż do ostatniego tchu. Wietrzy głowę z paskudnych myśli i przy okazji wyrabia mięśnie. Sześciopak gwarantowany, pod warunkiem że człowiek wiedzie życie pełne stresów. Inaczej trudno się zmotywować. Kwadrans później zziajana, ale odprężona wróciłam... nie, nie do jajek. Nie będę ryzykować, zdecydowałam, przechodząc natychmiast do rady trzeciej. „Zapomnij o hipermarketach. Przerzuć się na małe, osiedlowe sklepiki". Osiedlowe? OMG! Przecież to strasznie nudne. Wybór żaden, za to sztuka wciskania doprowadzona do perfekcji. Weźmy na przykład spożywczak „U Edzi", z solarium na zapleczu. Wpadasz po słoik zielonych oliwek, a wracasz opalona z naręczem przejrzałych bananów. Zamówionych w tej samej hurtowni, która zaopatruje „Żuczki". Zamiast musztardy kupujesz (roz)mrożone brokuły, na które masz uczulenie.

A pobliski kiosk z gazetami? To dopiero dramat. Weszłam tam chyba rok temu w poszukiwaniu „Miastówki". *Grzecznym głosikiem spytałam, czy już dostali. Cisza, więc pytam po raz drugi. Za trzecim wywabiłam spod lady wielki różowy czub. I jego, równie różową, panią.*

– Przyszła – odparła burkliwie. – Ale nie leży i nie czeka. Trzeba sobie teczkę założyć.

– Teczkę? To zupełnie jak w komunie – zauważyłam i wyszłam obrzucona wiąchą przywiędłych wyzwisk.

Teraz kupuję wyłącznie w Salonie, w Ścisłym Centrum. Ale przecież nie muszę się trzymać wszystkich zaleceń z „Miastówki". Perfekcjonizm jest nudny.

*

Sprawdźmy radę numer cztery. „Znajdź sobie ekochłopaka. Będzie cię zapraszał na romantyczne kolacje z bioproduktów. Oczywiście przy woskowych świecach". Spożywane w średniowiecznej krypcie, w pobliżu zapuszczonego cmentarza. Supergratka dla wampiromaniaczek. Ale nie dla dziewczyny Bonda, która o mało nie spaliła dużego pokoju. I którą nudzi każda celebra, zwłaszcza związana z pałaszowaniem. Te wszystkie dni pierogów, festiwal zupy i święto bab drożdżowych! Okropność. Fiesta na cześć kiszek. Nie znaczy, że swoje faszeruję McSzitem czy kolką. Unikam byle jakiego paliwa. Jeśli już skuszę się na frytki, zawsze posypuję je kiełkami.

– Nie ma to jak dodatka – podsumował Chesus. – Byle gówna zamienia w slow food. Prawdziwy magia!

Od razu pożałowałam, że napomknęłam mu o frytkach. Ale nie chciało mi się dzisiaj słuchać życiorysu Louisa Llacha. Tydzień temu przerabialiśmy biografię Gaudiego, megaarchitekta z Katalonii. We wrześniu zajmowaliśmy się Montserrat Caballé, śpiewaczką i Katalonką (teraz już wiem, po kim dostała imię łaciata ulubienica Chesusa). Potem był wykład o Salvadorze Dali, Katalończyku. Następnie dwie lekcje poświęcone bojownikom katalońskim z zeszłego wieku. A dziś kolejna nudna biografia. To znaczy nudna tylko dla mnie, Chesus aż dostał wypieków, kiedy mi zdradził, że tekst słynnej piosenki „Mury" Jacek Kaczmarski napisał do melodii skomponowanej przez Louisa Llacha. Oczywiście Katalończyka.

– Mój tato go lubił – wtrąciłam, żeby jakoś zagadać Chesusa. – Puszczał te „Mury" na okrągło.

I powtarzał, że kiedyś runą naprawdę. Raz nie wytrzymałam i pytam, o jakie mury mu chodzi. Mamy przecież wolność. Tato machnął dłonią i powiedział, że kiedyś zrozumiem. A potem wyszedł z pokoju. To był jeden jedyny raz, kiedy tak mnie zbył. Bo na ogół stara się tłumaczyć. O ile pytam.

– To pieśnia o rewolucji – odezwał się Chesus, wyłączając odtwarzacz.

Wtedy ja się pochwaliłam, że też szykuję małą rewolucję. A może dużą, zważywszy osobę Krejzola? Chesus bardzo się zapalił i spytał, z kim ją robię. Z Bondem?

– Nie ma teraz czasu na... – W porę umilkłam.

Szczerze mówiąc, Bond użył słowa „bzdety”, a potem wyraził troskę, czy sobie poradzę. Jak widać, znowu się mną martwi. Zupełnie niepotrzebnie.

– Jest zajęty – poprawiłam. – Kończy pisać pracę magisterską.

Tak naprawdę nie ma nawet połowy, a obrona za dwa miesiące. Nic dziwnego, że żyje w strasznym stresie. Ale na zewnątrz – pokerowa twarz. Emocje na wodzy. Jak to u Bonda. I mimo braku czasu dla mnie zawsze wykroi godzinkę. Albo dwie. Facetowi zależy.

– A tobie? – dopytywał Chesus.

A ja się świetnie bawię. Po prostu. Zresztą całe to zakochanie musi być okropnie wyczerpujące, sądząc po siostrach Brönte. Co rusz zadurzają się w nowym blondynie (ostatnio padło na Joszka). Nie śpią wtedy po nocach, wypisując bzdury o połówce rajskiego jabłuszka, a potem snują się po szkole blade i klapnięte jak sernik ciotki Klopsik. Nie, ja bym tak nie mogła. Jeśli już zarwać noc, to z powodu superimprezy. Poza tym nie wierzę w żadne połówki. Zdrowy, wolny człowiek jest skończoną całością. Nie musi się nikim dopełniać (no chyba że lizakiem jak Kama). Dopiero kiedy się zakocha, pęka na pół. I co gorsza ślepnie (bo jak inaczej wytłumaczyć fascynację kimś tak napuszonym, jak Joszko?). Potem jest coraz gorzej. Zazdrość z byle powodu i tęsknota osiemnaście godzin na dobę. A na koniec pustka, której wcześniej wcale nie odczuwał. Dlatego wolę swój związek z Bondem. Może wielbicielkom „Wichrowych wzgórz" wydawałby się zbyt letni, ale przynajmniej nikt się nie poparzy.

– Wydawa łby? Jakie łby? – nie zrozumiał Chesus.

Zupełnie zapomniałam, że jego polski ogranicza się do trybu orzekającego. Pierwszej i trzeciej osoby, które myli równie często jak rodzaje, przypadki i czasy. Pytanie: jak mu wytłumaczyć problem, nie odnosząc się do gramatyki hiszpańskiej. Ani nawet do angielskiej! No tak, bo ostatnio Chesus oznajmił, że inglés to język aroganckich kolonizatorów. Dlatego muszę się bawić w nauczycielkę polskiego i jeszcze płacić trzy dychy za godzinę. Brawo!

– „Wydawałby" – powtórzyłam wyraźnie jak Polak rozmawiający z cudzoziemcem. – „Wy-da-wał-by" oznacza przypuszczenie. Przypuszczam, że dla sióstr Brönte mój związek jest letni. To znaczy, gdyby wiedziały, co czuję. Ale nie wiedzą.

– Ciemu nie wiedzą? Wstydzi opowiedzieć bliska kolezianka?

Zaraz tam wstydzi! I jaka bliska koleżanka?! Plotkujemy na dużej przerwie, to wszystko.

– Po prostu nie zanudzam innych takimi szczegółami.

– Nudne życie nie opowiada kolezianka. Niedobre dla PR?

Cały Chesus. Albo dostaje napędu i przez godzinę nawija o katalońskich bojownikach. Albo się nudzi i prowokuje, zadając podchwytliwe pytania. Ale nie dam się wkręcić.

– Szybko się uczysz – stwierdziłam z lekką złośliwością.

– Mam dobra nauciciel – odparował i natychmiast zmienił temat. – Co z ekoprojekta?

Westchnęłam, żeby zmotywować Chesusa do pomocy. Może podsunie mi jakieś odjechane pomysły, a najlepiej plan działania, w podpunktach. W końcu za coś mu płacę, prawda?

– Wskazówka? – Podrapał się po czole. – Mam jedna. Uwaga!

Nastawiłam uszu.

– Ja robie projekt, duzi emocja. Ty robi projekt, zero nuda, dobry PR.

– To źle?

– Nie mówie źle. Słucha uważnie. Mówie, każdy robi inna projekt. Tak jak ciuje.

– A kogo obchodzi, co ja czuję? – prychnęłam zirytowana. – Przecież to ma być projekt dla innych. Nie mnie ma olśnić, ale... – Całą moją klasę, dokończyłam w myślach. I przy okazji zmotywować do działania parę milionów ludzi.

– Nie rozumie polski. Zupełnie! – pieklił się Chesus. – Ja nie mówię: niech robi, co ciuje. Ja mówię: niech robi, JAK ciuje. JAK CIUJE!

No dobra, nastąpiło drobne nieporozumienie. Ale warto tak krzyczeć z powodu jednego głupiego zaimka?

– Straszysz Montserrat – zauważyłam spokojnie.

– A cija wina? Cija?

Na tak postawione pytanie nie ma sensu odpowiadać. Trzeba odczekać, aż emocje opadną, a potem przyznać rozmówcy rację. To najszybszy sposób, by go rozbroić. Nawet jeśli siedzi naburmuszony niczym wujek Klopsik po sprawdzeniu kuponu totka.

– Masz rację – rzuciłam pojednawczym tonem. – Powinnam zrobić po swojemu.

Nie mówiłam? Po marsowej minie śladu nie ma. Jeszcze parę słownych głasków i Chesus będzie jadł mi z ręki. Niczym króliczek.

– I zrobię – zapewniłam. – Sama. Choć chętnie wysłucham wskazówek osób mądrzejszych ode mnie.

Schrupał komplement jak soczysty liść sałaty.

– Nie znam osoby bardziej kreatywnej – ciągnęłam z przekonaniem. – Jestem pewna, że masz już jakieś koncepcje na temat ekostrony. I chętnie bym je poznała.

– Moja koncepcja w moja głowa. Swoja wymyśli sama – oznajmił Chesus, z chytrą miną.

Co znaczy, że już się wypstrykał z pomysłów, i może mi najwyżej podać przepis na tortillę po katalońsku. Nic więcej.

*

– Po co do niego chodzisz? – irytował się Bond.

To znaczy nawet nie podniósł głosu. Ale ja umiem poznać, kiedy Bond jest wkurzony.

– Facet cię obraża, krzyczy. A ty mu jeszcze na dodatek płacisz?

Zaraz obraża! Trochę poburczy, pomacha rękami, jak to południowcy. I już jest spokój.

– Zupełnie nie rozumiem, czemu nie zrezygnowałaś z tych niby-lekcji.

Może z przyzwyczajenia. A może dlatego, że odpadli wszyscy uczniowie i Chesus został zupełnie sam? Poza tym Katalończyków nazywają w Hiszpanii „Los Polacos". To też chyba zobowiązuje... Tanie sentymenty, powie Bond. Dlatego nie wiem, czy powinnam się tłumaczyć.

– Bywa zabawnie – odparłam wreszcie, niby od niechcenia.

– Taniej by cię wyniósł bilet na komedię w multipleksie.

– Nie cierpię komedii – przypomniałam z wyrzutem. – Nie znoszę, kiedy ktoś usiłuje wycisnąć ze mnie śmiech za pomocą tanich sztuczek.

– Ale sama chcesz zabawiać...

– Nie męcz już – ucięłam. – Marudzisz bardziej niż... niż...

No właśnie kto? Rodzice nie marudzą prawie wcale. Poważne rozmowy tak, ględzenia tyle co kot napłakał. „Od prawienia kazań są inni specjaliści"

– powtarza mama, kiedy coś nabroję. Nawet po akcji z gromnicą rodzice poprosili tylko, żebym na przyszłość ostrożniej demonstrowała poparcie dla Ziemi. „Nieco mniej zapału" – dodał tato, zamykając temat. Więc do kogo mogłabym porównać trucie Bonda? Już wiem!

– Niż magister Lotos, kiedy przesadzi z deserem i musi spalić nadwyżki – zakończyłam.

Bond nie odparł nic. Posiedział chwilę, dopił kawę. A potem orzekł, że musi wracać do siebie, bo ma pisanie. I bardzo dobrze, niech idzie, mruknęłam, przekręcając górny zamek. Niech pisze, niech ciężko pracuje. Przynajmniej nie będzie mnie obwiniał w razie porażki. Przecież nigdy tego nie robi, uświadomiłam sobie nagle. Nawet jeżeli gdzieś zawali, nigdy nie mówi, że to przeze mnie. W ogóle mało o sobie opowiada. Raczej skupia się na mnie. Co bywa miłe. Chyba że zaczyna się zbytnio czepiać i gasi mój zapał. Jak dziś. Dlatego się zirytowałam... No dobra, będę szczera. Tak naprawdę wkurzyła mnie uwaga Bonda o tym, że chcę zabawiać innych. Poczułam się jak żałosny klaun z czerwoną piłką zamiast nosa. A przecież to nie tak. Zupełnie. Ja tylko chciałabym uniknąć czarnowidztwa. I przymulania. Tyle marud narzeka, że świat jest zły, paskudny i bez sensu. A to nikogo nie motywuje do akcji. Dlatego zamiast truć i smęcić, wolę generować pozytywną energię. Podpowiadając ludziom, co mogliby zmienić. Oczywiście na lepsze. Na przykład kosmetyki albo ciuchy. Sama też zamierzam przeprowadzić zieloną rewolucję w szafie, idąc za radą numer pięć: „Bądź modna w stylu eko". Dlatego postanowiłam, że wieczorami, kiedy już przerobię matmę i historię, będę odwiedzać sklepy internetowe na całym świecie. Spiszę ciekawe adresy, a przy okazji zamówię sobie to i owo. Ekoaktywistka nie może przecież chodzić w chińskich dżinsach szytych przez biedne dzieci.

– Będzie ci trudno znaleźć coś szytego poza Chinami – mruknął Bond.

Zadzwoniłam do niego z rana, żeby się pochwalić nowym pomysłem. I przy okazji sprawdzić, czy mu przeszło. Jak słychać, nadal obrażony.

– Mimo wszystko spróbuję – oznajmiłam zdecydowanie.

– Trzymam kciuki.

No i proszę! Bond znowu robi za gaśnicę! A przecież wie, jak trudno wykrzesać entuzjazm w sytuacji, którą mi poniekąd narzucono. No tak! Nie planowałam podobnych zabaw. Ale stało się i muszę robić dobrą minę. „Myślisz, że to frajda przekonywać wszystkich dookoła, jak świetnie się bawię projektem?!" – powinnam wykrzyczeć Bondowi. Ale wtedy nie nazywałabym się Paris.

– Dzięki – odparłam tylko. – Szczęście mi się przyda.

I zaraz zakończyłam rozmowę, tłumacząc, że muszę skończyć wypracowanie z anglika. Wprawdzie mieliśmy iść wieczorem na disco do Hadesu, ale ja Bondowi nie będę przypominać. Skoro milczy, jego strata. Moja nie, naprawdę mam co robić. Powtórzę słówka z hiszpańskiego, wyrzucę śmieci, poskładam pranie. Długa lista możliwości. Zresztą tyle wychodzimy z Bondem, że jedna imprezka niczego nie zmieni. Ani jej brak.

*

Dobrze, że dziś sobota, bo zarwałam pół nocy, buszując po internetowych sklepach. Zamówiłam już parę rzeczy, po trosze odreagowując milczenie Bonda (nie zadzwonił, jak zwykle, w samo południe). Zakupy zaczęłam od kauczukowej maty do jogi. Cieniowana, ekologiczna, dla prawdziwych profesjonalistów. Co z tego, że nie ćwiczę? Zawsze mogę! Bo wreszcie mam na czym. A skoro mata, to przy okazji odpowiednie ciuchy. Do koszyka wrzuciłam dwie bluzy z włókna bambusowego, spodnie z konopi organicznych, rozmiar S. Wszystko ze znakiem „fair-trade", co znaczy, że ludzie, którzy je uszyli, dostali godziwe wynagrodzenie. Zawsze sądziłam, że za uczciwą pracę należy się uczciwa płaca. To chyba oczywiste, prawda? Jak się okazuje, nie dla wszystkich. Miliony ludzi tyrają za grosze. Albo za darmo, na przykład na plantacjach kakaowców. Wielu wyzyskiwanych to dzieci, przeczytałam ze zgrozą. Są zmuszane do nadludzkiej harówki za jedzenie i pryczę. Byle utrzymać niskie koszty produkcji, dyktowane przez koncerny produkujące słodycze. Nowoczesne niewolnictwo, którego nie mam zamiaru wspierać! Od dziś koniec z czekoladą. Koniec z ciuchami szytymi przez dziesięcioletnie dziewczynki, orzekłam, wrzucając do koszyka bawełniany tiszert.

W innym ekosklepie znalazłam świetne notesy, robione ze starych dyskietek. To znaczy okładki, papier zaś, niewybielany chlorem, pochodzi z recyklingu. Spytałam administratorkę, czy są ze sprawiedliwego handlu. Mam nadzieję, odpisała, bo robię je sama, po godzinach. Więc od razu zamówiłam cztery, przydadzą się na gwiazdkowe prezenty. I przy okazji torby eko wielokrotnego użytku. Czytałam w „Miastówce", że są na topie, podobnie jak aktówki robione ze starych bannerów reklamowych (wybrałam jedną, w kolorze butelkowej zieleni). Potem przeskoczyłam do „Zielononóżki". Można tam kupić biopyszności i ciekawostki z całego świata. Na przykład ekologiczne chipsy z batatów albo ziołowe landrynki słodzone melasą. Wzięłam z ciekawości po torebce. I jeszcze małe opakowanie natto, czyli przekąskę z fermentowanej soi. Nie wygląda zbyt atrakcyjnie, ale dołączyli do niej promocyjną parę skarpetek sojowych (podobno jeszcze zdrowsze niż te z bambusa). Natto, jak napisano, poprawia cerę lepiej niż Photoshop. Przydałoby się, bo na moim czole wykwitły ostatnio dwa pimple, które zakrywam, czym mogę. Na ogół włosami, co daje raczej średni efekt. Dlatego liczę, że natto wymiecie pimple. Do czysta. Tym, że będzie okropne w smaku, wcale się nie martwię. Najwyżej zrobię sztuczkę z pizzą. Kiedy coś mi nie podchodzi, a szkoda wyrzucić, przemycam to na pizzy, ukryte pod grubą warstwą sera. Więc natto się nie zmarnuje, uznałam, biorąc się do sobotnich porządków.

Porządki to za dużo powiedziane. Po prostu ogarniam przestrzeń przed rozmową z mamą. Zbieram z ławy brudne naczynia, ścieram okruchy i plamy po herbacie, wynoszę do sypialni szpargały, wyrównuję poduchy, składam koc. Na koniec przejeżdżam odkurzaczem kawałek dywanu obok fotela. Scenografia gotowa, można włączyć kamerkę i z kubkiem gorącej herbaty waniliowej czekać na znajomy dzwonek Skype'a. Ach, zapomniałabym. Kapcie! Zakładam je wyłącznie dla rodziców, żeby się nie martwili, że biegam po domu na bosaka. To znaczy mama się nie zamartwia bzdurami, ma do nich zdrowy dystans. I co ważniejsze, potrafi oddzielić duperelki od prawdziwych problemów. Więc po co urządzam tę szopkę? Żeby widziała, że sobie radzę. Że jestem odpowiedzialna i naprawdę dorosła. I że wyjeżdżając, nikogo nie skrzywdzili.

– Jak minął tydzień? – spytała mama.

Szybko zdałam relację.

– Piątka z matmy, szóstka z wypracowania o Różewiczu. I czwórka z chemii, niezapowiedziany test. – Znacząco westchnęłam.

– Czwórka to jest DOBRA ocena – podkreśliła mama. Nie mówiłam? Ma naprawdę zdrowy dystans. – A poza szkołą, w porządku?

– W porządku. Jutro idziemy z Bondem do kina. O ile przestanie się dąsać.

– Denerwuje się przed obroną? Co za pytanie. – Spostrzegła się sama. – Przecież wiadomo, że tak. To jeden z najważniejszych egzaminów w życiu.

– A nie matura?

– Wydaje się najważniejsza, ale kiedy pójdziesz na studia, zobaczysz, że to była bułka z masłem. Niepotrzebnie tak was straszą.

– Nikt nas nie straszy. – W końcu to szkoła z klasą, gdzie stosuje się (na ogół) motywację pozytywną. – Raczej sami się nakręcamy.

Ostatnio, na przykład, Aleks przyniosła listę przedmiotów, które przynoszą pecha na maturze. Wśród nich białe skarpetki, sztuczne rzęsy i dezodorant „reks". A Mikołaj opowiedział o swoim kuzynie, który osiwiał po otwarciu zestawu pytań z polskiego.

– Powinnam ci doradzać, żebyś wrzuciła na luz – odezwała się mama. – Ale wiem, że czasami trudno to zastosować. Zwłaszcza kiedy wszyscy dookoła panikują. Zresztą... z perspektywy czasu nawet te obgryzane z nerwów paznokcie mają swój urok.

Cóż, na razie nie umiem go dostrzec.

– A co tam w Lądku Zdroju? – zmieniłam temat. – Jak królowa?

– Która?

– Jest tylko jedna. Niekwestionowana. Kto inny utrzymałby się na tronie tyle lat?

– Freddie, gdyby nie wysłano go w Kosmiczną Trasę – przypomniała mama, wielka fanka zespołu Queen. Nadal nie może się pogodzić ze śmiercią Freddiego Mercurego, choć minęło prawie osiemnaście lat. – To był głos. A jaka charyzma! Twoja królowa przy nim to piszcząca myszka. Z ogromnymi ambicjami.

– Ona śpiewa? – przerwałam zdziwiona. – Wydawało mi się, że osoby jej pokroju nie nucą nawet pod prysznicem.

– Ty naprawdę mówisz o królowej – mama domyśliła się wreszcie.

– A o kim niby?

– Sądziłam że o Madonnie.

Madonna... no cóż, ma kilka fajnych hitów. I przede wszystkim znakomity PR. Ale zdecydowanie wolę Lady Gagę. Jest mniej wykalkulowana i potrafi zaszaleć.

– Królowa jak królowa – ciągnęła mama. – Trzyma poziom.

– A co w sklepach? Jakieś nowe trendy?

– Dużo srebra i złota. Właściwe kolory na czas kryzysu – zakpiła. – No i wielki powrót stylu punk. Twój tata jest zachwycony.

– A widziałaś coś, co by pasowało na studniówkę? – zainteresowałam się.

– Jakaś wyjątkowa kreacja?

– No raczej. W końcu to jedyny taki bal...

– Ja byłam na czterech – pochwaliła się mama. – Co roku z nowym chłopakiem.

No proszę, czego się dowiaduję! Ja nie byłam jeszcze na żadnej studniówce. Cholerka!

– Chodziło mi o to, że jedyny, bo zamyka etap dziecinnych zabaw.

– Wierz mi, niczego nie zamyka.

Może i racja. Kiedy sobie przypomnę parę studenckich imprez, na które zabrał mnie Bond. Niby dorośli ludzie, a zachowywali się tak, że... W mojej klasie by to nie przeszło.

– Szukasz konkretnego fasonu? – dopytywała.

– To znaczy?

– Bo za moich czasów... Wiem jak to brzmi – dodała szybko. – Ale widzisz, kiedyś sukienki studniówkowe były – zamyśliła się – bardzo niewinne. Na ogół czarne albo granatowe. Styl wiktoriańskiej pensjonarki.

Siostry Brönte byłyby zachwycone, zwłaszcza kolorystyką.

– Jak się zastanowić, ma to sens – przyznałam. – Człowiek czuł, że bierze udział w czymś wyjątkowym. Całkiem innym od bali, które mają przyjść potem. Z gorsetami, maskami, piórami i całym tym przepychem.

– Takie bale zdarzają się naprawdę rzadko – wtrąciła mama. – Ale nie ma czego żałować. Ludzie wcale się tam dobrze nie bawią. Są zbyt przejęci własną kreacją – zakończyła, obiecując, że w przyszły weekend przejdzie po sklepach i porobi fotki ciekawych sukienek. Specjalnie dla mnie.

*

Jak widać, mamy świetny kontakt.

– A jednak co tydzień siuka kapci – zauważył kiedyś Chesus. – Dlaciego?

Z troski o nich czy dla świętego spokoju? Za dużo trudnych pytań na jedną chmurną sobotę, uznałam, drepcząc boso do kuchni po coś do picia. Potem przytargałam z sypialni gruby plik „Miastówek". Będę dalej przeczesywać. A w tak zwanym międzyczasie przeanalizuję kolejne z dziesięciu złotych rad, z dodatku zimowego. Rada numer sześć. „Oszczędzaj prąd. Wyłączaj komputer, telewizor, ładowarkę. I koniecznie zmień żarówki na energooszczędne. Najlepiej z pomocą znajomego bruneta". Będę miała okazję to zrobić, bo dziś wieczorem przychodzi Krejzol. Z tego powodu odkurzyłam cały dywan. I wymyłam łazienkę, łącznie z wanną. Zupełnie nie wiem, czemu się tak staram. Przecież Krejzol to żaden książę William. A jednak czuję się... dziwnie. Kręcę się tu i tam, przesiadam z fotela na fotel, kokosząc między poduchami. I wszędzie mi niewygodnie. Chesus zaraz by zapytał: „Ciego boi". Na razie wiem, czego się nie boję. Na przykład tego, że Krejzol coś mi podprowadzi. Nawet jeśli, droga wolna! Wartościowe rzeczy rodziców są ukryte w skrzyneczce pod telewizorem, zamykanej na szyfr (kod: 1234, wprowadzony po kilku wpadkach z bardziej złożonymi kombinacjami). A moje drobiazgi? Niech bierze. Kupię sobie nowe, ładniejsze. Nie przywiązuję się ani do maskotek, ani do biżuterii. Trudno żeby, skoro co roku gubię przynajmniej dwa srebrne pierścionki. Tato żartuje czasem, że powinni mi je przyspawać do palców na stałe.

I przy okazji jakiś długopis. Bo te znikają w tempie zawrotnym. Więc jeśli chodzi o ewentualną kradzież, to spoko. Nie boję się też, że Krejzol źle oceni naszą chatę. Raczej będzie oszołomiony wystrojem, zwłaszcza łazienką. Siedemnaście metrów kwadratowych, podobno tyle mierzy przeciętne mieszkanie w Tokio. Mieści się w nim trzyosobowa rodzina wraz z dobytkiem. W naszej łazience mieści się jedna, bardzo samodzielna osoba, a ponadto starodawna wanna na lwich nóżkach, zlew w kształcie muszli i cała reszta sprzętu, utrzymana w stylu secesyjnym (ulubiona epoka mamy). Na ścianach kopie grafik Alfonsa Muchy. W oknie kolorowe szybki. Pralka ukryta w secesyjnej szafce. W podłodze – elektryczne ogrzewanie.

Ogród zimowy też robił wrażenie. Kiedyś. Bo od wyjazdu rodziców prawie nic tam nie rośnie. Ja nie mam ręki do roślin. Ani głowy. Dlatego wszystkie cytrusy trafiły do przyjaciół i rodziny. Ogród zamienił się w pustą szklarnię. Nie wiem, czy jest sens pokazywać ją Krejzolowi. O ile przyjdzie. Już dwie po szóstej, a jego ani słychu, ani widu. Mój Bond nigdy się tak nie spóźnia, przenigdy. Ale to facet, który za mną szaleje (nawet jeśli teraz się boczy). Nie klocek zmuszony do udziału w ekozabawie, której zasad nie rozumie. Cztery po szóstej. A jeśli nie przyjdzie, pomyślałam nagle. To zrezygnuję z projektu, zwalając winę na Krejzola. Będę mieć więcej czasu dla siebie. I dla Bonda. Dziwne, ale jakoś nie sprawiło mi to ulgi. Może dlatego, że zaczynam się angażować? Oczywiście w projekt, w nic innego. Zadzwonił. Wreszcie! Powoli podeszłam do drzwi, melodyjnym głosem pytając, kto tam. Niech myśli, że jestem oblegana przez facetów.

– Krejzol. Dla pewności zerknij w judasza – rzucił, niby żartem.

Cóż, najwyraźniej zostałam źle zrozumiana. Ale nie będę się tłumaczyć. To dobre dla ofiar.

– Nie trzeba zdejmować. – Wskazałam na jego buty. Marne podróbki firmy Nikt.

I tak je zdjął. A potem ułożył równiutko przy samych drzwiach. Jakby chciał podkreślić, że jest tu tylko na chwilę. Skomentowałam to znaczącym spojrzeniem.

– Taki odruch – wyjaśnił. – Matka mnie ściga. Gdzie teraz?

– Zapraszam do bardzo dużego pokoju.

Od dużego pokoju różni go obecność ogromnego telewizora, wielkiej kanapy i meblościanki. Krejzol stanął na środku, rozglądając się. Jak budowlaniec, który zastanawia się, od czego zacząć remont. Postukał palcem w ścianę, sprawdził paznokciem twardość futryn.

– Spartaczyli wam flizy – oznajmił wreszcie. – Taśmy przypodłogowe źle dobrane. Będą puszczać. Lada chwila – podkreślił. – Parapety krzywo przycięte. Na szczęście w stylu rustykalnym tak to nie razi. Za to kontakty dramat.

Miałam ochotę mu poradzić, żeby wziął udział w olimpiadzie dla budowlańców z Zarzecza. Ale nie! Pokazałabym tylko, że mnie uraził. A przecież... no dobra, trochę mnie zirytował. Sądziłam, że będzie zachwycony wystrojem wnętrz. I całą resztą.

– Odcień futryn nie pasuje do paneli – ciągnął. – Tu dąb, tam sosna. A meble w kolorze orzecha. No i sufit. Nisko, jak to w plombach.

– Coś jeszcze? – spytałam lodowatym głosem.

– Poza tym super. Brakuje tylko ludzi. Znaczy towarzystwa.

Nie skomentowałam. Krejzol musiał źle zinterpretować moją minę, bo zaczął mnie przepraszać za głupią uwagę.

– Daj spokój, już się przyzwyczaiłam. Pochodzę z rodziny emigrantów.

Blagierka

Tradycję rozpoczął dziadek taty, wyjeżdżając w czterdziestym drugim do Tyrolu. Nie zrobił majątku, ale jak powtarzał podczas świąt, odebrał cenną lekcję przeżycia. Jego córka, a moja babcia wygrzewa teraz halluksy na Florydzie. Tato trzymał się mężnie przez długie lata. Tuż po czterdziestych urodzinach i kolejnym faulu ordynatora nie wytrzymał. Powiedział wreszcie, co myśli. W odpowiedzi usłyszał: „To spadaj". Następnego miesiąca znalazł się w Londynie. Dojechaliśmy do niego w lipcu. Niby tylko na wakacje, ale mama szybko dostała pracę rehabilitantki. Bracki zaraz poznał nowych kolegów. Wrócili ze mną do Polski tylko po to, żeby zabrać potrzebne rzeczy. Ja zostałam. Przerywać liceum po pierwszej klasie (ukończonej z wyróżnieniem) to głupota. Dołączę po maturze, oznajmiłam rodzicom, rozpakowując plecak. A prawda jest taka, że w Londynie czułam się zupełnie jak... w podstawówce. Niczym fretka zabłąkana w stadzie morsów. Jeszcze gorzej było w mieszkaniu, które tato wynajął. Dopiero tam, z dala od znajomych tapet i wzorów poczułam, jak bardzo odstaję. Od rodziców, brackiego. Jakbym nagle straciła kod dostępu. Ale nie powiem tego Krejzolowi. Przecież wcale się nie znamy! Nawet nie wiem, spod jakiego jest znaku.

– Bliźniak – zdradził z pewnym ociąganiem. – Urodzony w Dzień Dziecka.

– A ja w sylwestra. Masz jakieś imię?

– Ale o co chodzi? – odburknął.

Pewnie skojarzyło mu się z policją. Ci z Zarzecza naprawdę jej nie lubią.

– Możemy zostać przy Krejzolu, ale pomyślałam, że skoro mamy robić ten projekt razem...

– Alan – wykrztusił wreszcie.

Mogłam się spodziewać. Pewnie jeszcze pisane przez dwa „l". Fantazja rodem zza Rzeki.

– Amelia – podałam mu rękę. – Dla znajomych – Paris.

– Elegancko.

Na pewno brzmi lepiej niż Emalia. Tak mnie przezywali w podstawówce. Wystarczyło, że raz się zająknęłam, podając swoje imię wychowawczyni. Rany! Byłam wtedy taka nieśmiała. Na szczęście z tego się wyrasta. Jeżeli tylko człowiek trochę się postara.

– Może zanim weźmiemy się do pracy – zmieniłam temat – przykręcisz mi parę żarówek? Kupiłam cały zestaw, energooszczędnych.

Krejzol zrobił dziwną minę.

– Nie chcesz, przykręcę sama. Choć mam lęk wysokości – wtrąciłam. – Ale OK, bez łaski.

– Nie o to chodzi. Po prostu mam wątpliwości co do tych świetlówek – wyjaśnił. – Wszyscy teraz trąbią, żeby je zmieniać. Jakiś owczy pęd. A ja nie jestem pewien, czy to naprawdę ekologiczne.

– Oszczędzasz masę energii.

– Zgadza się. Tylko że zwykłą żarówkę możesz wyrzucić do kosza. I po kłopocie. Tę niby-eko trzeba utylizować, bo zawiera rtęć i różne syfy.

– Ale jest trwalsza – przekonywałam. – Teoretycznie wytrzymuje nawet dziesięć lat.

– U mnie wytrzymały półtora – mruknął Krejzol. – Ale życzę szczęścia.

– Skoro kupiłam, niech służą. Najwyżej podamy tę informację na blogu.

I wtedy mnie olśniło. Będziemy ekotesterami. Nie była to jakaś iluminacja, raczej maleńkie światełko w tunelu. Ale we właściwym kolorze. Krejzol usiłował je zgasić, mówiąc, że takich blogów jest od cholery i trochę.

– Nasz będzie ciekawszy niż inne, bo pisany z werwą i humorem. Moja w tym głowa – dodałam, żeby go uspokoić.

– A kto będzie testerem?

Skoro już pytasz, pomyślałam, podsuwając mu talerzyk z ekochipsami. Zaraz potem wyszłam zrobić herbatę. Bioaktywną, cokolwiek to znaczy. Kiedy wróciłam, Krejzol siedział w tym samym miejscu. W tej samej pozycji.

– I jak? – spytałam, zerknąwszy na talerzyk. Pusty.

– Zrobione – oznajmił, nie bez dumy. Co znaczy, że chipsy były obrzydliwe.

– Nie smakowały?

– Nie wiem, nie mam na palcach kubków smakowych.

– Ale na języku chyba są.

– Myślisz, że pomagałem sobie językiem? – zdumiał się Krejzol.

– Tak się na ogół robi. Przynajmniej tu, w Ścisłym Centrum.

Umilkłam, wyobrażając sobie rodzinę Krejzola podczas niedzielnego obiadu. Nagle dostrzegłam puste opakowania po świetlówkach. Więc o to mu chodziło? No ładnie. W gimnazjum od razu zaczęłabym się tłumaczyć i plątać. Ale teraz jestem kim innym. Jestem Paris.

– Dzięki, że przykręciłeś – rzuciłam tylko, podając herbatę.

– Naprawdę zmieniacie żarówki za pomocą języka?

Wywróciłam oczami, żeby pokazać, że temat mnie nuży. Krejzol zrozumiał. Przez następny kwadrans nie odezwał się ani słowem. Za to ja nadawałam jak nakręcona pozytywka. Na luzie, z humorem, więc Krejzol się nie domyśli, że zagaduję stres. Nikt się nie domyśla, nawet rodzice. I o to chodzi. „Stilo Paris – dobry PR", przypomniałam sobie słowa Chesusa.

– Stało się coś? – usłyszałam nagle z oddali.

– Nie, dlaczego?

– Fonia włączona, ale cała reszta na innej planecie.

– Bo myślę o tym projekcie – skłamałam. – Chciałabym, żeby wszystko się udało.

– Udało się? Samo? – Parsknął. – Zapomnij. Żyjemy na tym gorszym ze światów, gdzie łatwiej coś stłuc, niż zbudować.

– Jeszcze jeden ponurak. – Westchnęłam.

– Ponurak? Skądże! Jestem najradośniejszym gościem w całym bloku.

Aż strach sobie wyobrażać resztę jego mieszkańców.

– Naprawdę – przekonywał Krejzol. – Uważam tylko, że o dobre rzeczy trzeba się postarać. Same nie przyjdą.

– Mam inne doświadczenia – wyjawiłam. – Choćby z Bondem. Zjawił się przypadkiem, zupełnie nieproszony.

Miałam szesnaście lat i dwa miesiące, a w sercu żadnych złamań. Raczej nadmiar wolnego miejsca, niczym w bardzo dużym pokoju po odjeździe rodziców. Właśnie wróciłam z Londynu i, stojąc przed pustą lodówką, rozważałam, czym napełnić równie pusty żołądek. Przecierem szczawiowym, a może żurkiem, pitym prosto z butelki? I właśnie wtedy do drzwi zadzwonił dostawca pizzy.

– Moje ostatnie zlecenie – oznajmił, szeroko się uśmiechając. – Pizza siedem życzeń.

Uniósł wieko pudełka. Zajrzałam. Ktoś zaszalał, bez dwóch zdań.

– Parada – przyznałam. – Niestety, nie ja komponowałam to cudo.

Kurier zajrzał do notesu. Przeczytał na głos adres i telefon zamawiającego. Wszystko się zgadzało. Poza jednym drobnym faktem. To nie ja dzwoniłam z zamówieniem. I nagle przypomniało mi się „ABC spontanicznego bajeru".

– W zasadzie nie zamawiałam, ale gdybyś mi pomógł... – zawiesiłam głos, przechylając lekko głowę. Zdaniem speców z „Miastówki" robi większe wrażenie niż banalne oblizywanie ust. – Ta pizza jest taka... wypasiona.

W ten oto sposób zapełniłam pustkę w żołądku. I nie tylko.

– Jednak podjęłaś wyzwanie – upierał się Krejzol. – Mogłaś trzasnąć drzwiami.

Za kogo on mnie ma? Za Śpiącą Królewnę?

– Z projektem też się samo nie zrobi – ciągnął.

Jakbym nie wiedziała.

– To może się zabierzemy do roboty? Ustalimy, co trzeba, i spadam do chaty, bo późno.

No proszę, jak mu się śpieszy! Na ogół ludzie szukają pretekstów, by się stąd nie ruszać. Na przykład Aleks. Albo siostry Brönte. Wprost nie sposób się ich pozbyć. Dlatego rzadko przyjmuję gości; nie lubię robić za wykidajłę. A ten tu nie może się doczekać, żeby prysnąć na swoje osiedle. Cóż za... odświeżająca odmiana.

– Miejmy to już za sobą – orzekłam. – Zwłaszcza że zaraz będę się szykować do wyjścia. Sobotnia imprezka – dodałam.

Krejzol wyjął z torby obskurny notes w żółtą kratkę i zaczął notować w podpunktach. Długopisem ogryzionym jak psia kość. Kwadrans później sznurował swoje obciachowe buty.

– A te chipsy – rzucił już w progu – były ździebko za słodkie.

*

– Ujdzie w tłoku. Stężenie patosu na metr taśmy umiarkowane – komentował Bond po projekcji.

Wpadł dziś koło południa i, wymachując biletami, zapytał, o której będę *ready*. Ani słowa o sprzeczce. Albo o tym, jak spędził wczorajszy wieczór. Ja też nie dopytywałam. Wyszedł gdzieś czy został w akademiku? A jeśli wyszedł, to z kim i na jak długo? Poznał kogoś? Tańczył? Ile razy? Z tą samą dziewczyną? Miała długie włosy jak ja czy modnie wystrzyżone jak Kama? Studiuje ten sam kierunek? Spotkają się jeszcze? Gdzie i kiedy? Nie! Dziewczyna Bonda nigdy nie zadaje podobnych pytań. Jest ponad to... „Ponad co?" – zapytałby Chesus. „Ponad wszystko" – odpowiedziałam w myślach, natychmiast unosząc głowę. Jeszcze wyżej niż zwykle.

– Ujdzie – zgodziłam się z Bondem. – Choć pod koniec przesadzili z fanfarami.

– Jakiś spacer? – zaproponował, zerkając na swój wypasiony zegarek Alfa. No dobra, imitację Alfy, ale znakomitej jakości. Nie to, co buciory Krejzola.

– Chętnie. Trochę świeżego powietrza bardzo mi się przyda. Cały wieczór spędziliśmy nad ekoprojektem. Burza mózgów. Z piorunami – wyjawiłam tajemniczo. – Nadal boli mnie głowa.

– Jak sobie radzi współtwórca burzy? – Wydało mi się, że w głosie Bonda słyszę lekceważenie.

– Przyszedł świetnie przygotowany. – Przed oczami stanął mi tandetny notes Krejzola i ogryzek długopisu. – Istny gejzer pomysłów.

– Z tego co wspomniałaś, wydawał się...

– Pozory mylą – ucięłam. – To zupełnie jak z amstaffem. Wygląda na rzezimieszka, strach podchodzić. A na ogół okazuje się miziakiem.

– Krótko mówiąc, amstaff oswojony?

Ho, ho, ktoś tu chyba jest zazdrosny.

– Wiesz, że mam dobrą rękę do psów – odparłam półżartem.

Niestety cudzych, własnego nigdy nie miałam. *Przez dwa lata wolontariatu w schronisku nie mogłam się zdecydować. Nie dlatego że żaden mi się nie podobał.*

Wręcz przeciwnie – w każdym boksie czekał psiak, którego chętnie zabrałabym do domu. „Nie wyrwiesz z więzienia wszystkich – powtarzał tato – ale możesz uwolnić jednego". Łatwo powiedzieć, znacznie trudniej dokonać ostatecznego wyboru. Wreszcie mi się udało. Wśród setek schroniskowych bidul namierzyłam Netoperka, drobnego łatka, z uszami jak radary. Miłość od pierwszego liźnięcia. Po wspólnym spacerze postanowiłam, że ten, żaden inny. Następnego dnia pojechałam razem z rodzicami do azylu. Okazało się, że Netoperka zabrała niemiecka rodzina. Aż pod Kolonię. Podobno się opierał. Ale przecież to taka szansa, inne psy mogą tylko pomarzyć, zerkając na szczęściarza zza grubych krat. „Będzie mu dobrze – orzekłam, widząc smutne miny rodziców. – Lepiej niż w polskich blokowiskach". Zaraz potem zrezygnowałam z wolontariatu. Czy żałuję? Teraz przed maturą i tak nie dałabym rady. Zabawy z piłką, długie spacery nad Rzeką...

– Coś posmutniałaś – zauważył Bond.

Powinnam wymyślić powód zastępczy i szybko wcisnąć go Bondowi niczym cukierek. Ale, o dziwo, nic mi nie przychodziło do głowy. Pustka zupełna! W takich chwilach należy odwrócić uwagę. Na przykład markując nagły skurcz łydki, atak insektów albo... w tej samej chwili dostrzegłam Chesusa. Super! Sprawdzi się lepiej niż agresywna pszczoła.

– Zobacz! Chesus! – Szarpnęłam Bonda za rękaw. – Widzisz? Ten w błękitnej czapeczce z daszkiem. Chodź, przywitamy się.

– Myślałem, że jest wyższy – mruczał Bond, niechętnie dotrzymując mi kroku. – Lepiej zbudowany i w ogóle bardziej efektowny. Tak o nim barwnie opowiadałaś.

Cóż, od dawna wiadomo, że potrafię kreować wizerunek. Nie tylko własny.

– Co za spotkanie! – zwróciłam się do Chesusa, okazując wyjątkowy entuzjazm.

Bond wysunął dłoń, ale Chesus najpierw przywitał się ze mną.

– *!Hola Chesus! Mucho gusto conocerte* – Bond pochwalił się znajomością rozmówek polsko-hiszpańskich.

– Nie rozumiem portugalski – odrzekł Chesus z przepraszającym uśmiechem. Zawsze tak robi, kiedy ktoś go częstuje językiem okupanta.

– Chyba dawno nie byłeś w kraju – rzucił Bond, niby żartem.

– Mam z tym problema. Podobnie jak kolegi z Tibeta. Rozumie?

*

– Śmieszny gostek – ocenił Bond, odprowadzając mnie późnym wieczorem do domu. – Łatwo się zapeрza. Ale w sumie niegroźny. Taki nastroszony kogucik.

Rzeczywiście, Chesus ma coś z koguta. Wyprostowany budzi respekt, ale wyłącznie wśród kur. Dla reszty świata pozostaje kogucikiem. Nastroszonym i żałosnym... Nagle poczułam irytację. Jakim prawem Bond wydaje sądy o kimś, kogo zupełnie nie zna? Aż mnie korciło, żeby zaproponować mu wycieczkę w czasie (na podobną zaprosił mnie Chesus, tuż po wakacjach). „Jest dziewiętnasty wiek, Polska pod zaborami. Przebywasz właśnie na wygnaniu, w obcym Paryżu, tęskniąc za krajem, którego już nie ma. Niemal codziennie spotykasz ignoranta, który pyta, skąd pochodzisz. Ach, z Warszawy? Kojarzy, oczywiście, to w Kongresówce! A potem, by pokazać zakres swojej wiedzy, przechodzi na rosyjski. Co ty na to? Po raz enty tłumaczysz, że «Polacy nie gęsi»? Na siłę oświecasz kogoś, kto woli półmrok? A może lepiej rzucić ignorantowi: «Nie rozumiem po słowacku». Niech się zastanawia, o ile ma ochotę". Już, już miałam to wyjaśnić Bondowi, ale nagle poczułam się zmęczona, jak ów Polak na obczyźnie. Albo Chesus.

– Mówiłam, że jest zabawny – odparłam, lekkim tonem. – Dlatego nie zrezygnowałam z lekcji. Wracamy do domu?

– Ale zaległości z hiszpańskiego rosną – Bond zauważył nagle. Pewnie uznał, że temat nie jest wyczerpany.

– Skądże! Nadrabiam wszystko sama. – No, powiedzmy.

– Rodzicom nie przeszkadza, że bulą za rozrywkę po katalońsku?

– Wiesz, że praktykujemy bezstresowe wychowanie.

Co oznacza, że rodzice mi ufają. A ja nie zawracam im głowy byle czym. Z duperelami rozprawiam się sama już od końca podstawówki. Zresztą, jak się zastanowić, lekcje z Chesusem można podciągnąć pod działalność charytatywną. A moi staruszkowie lubią wspierać innych. Tato na przykład zawsze zabiera ludzi podróżujących stopem. Przeszło mu (tylko na chwilę) po spotkaniu z farmerem. *Wracaliśmy właśnie z Niemiec.*

Po przekroczeniu granicy tato postanowił zatankować. Kiedy podjechał na stację, podeszło do niego kilku faciów w szorstkich swetrach z owczej wełny, prosząc, by zabrał stopem ich kumpla.

– Niech będzie – zgodzili się rodzice. – Jakoś się upchamy.

Autostopowicz siadł z tyłu, między mną a brackim. Spięty cały i czujny jak magister Lotos przed wizytacją. Nerwowo przygładził żółtego od fajek wąsa i zaczął narzekać, że nic nie zarobił w Dojczlandii. Nic nie ma i w ogóle. Puste kieszenie, wstyd wracać.

– W Polsce też pewnie krucho z pracą? – dopytywała mama, nie kryjąc współczucia.

– Z bratem fermę świń mamy, ale kokosów z tego żadnych – zdradził nasz gość. – Spożycie wieprzowiny spada. Ludzie zaczęli nagle grymasić na mięso. Dziwactw im się zachciewa, owoców zagranicznych. I jeszcze sąsiedzi pyskują, że im gnój do rzeki wrzucamy. Szkoda nawet mówić. Gdyby nie renta, bym się nawet za ten biznes nie brał.

– Może zmienić profil?

– Też myślałem. O hodowli rodowodowych wilczurów. Ale psów to ja nie lubię.

– A świnie pan lubi? – zainteresował się bracki.

– My dobrze jedziemy? – Farmer nagle się zdenerwował. – Nie poznaję tego lasu. Zupełnie!

– Zaraz będzie zjazd na...

– Panie, gdzie mnie pan wieziesz, panie! Ja nic nie mam! Mówiłem przecież! Puste kieszenie! Aha, jest zjazd... – odetchnął. – Jużem myślał, że to kidnaping jaki albo...

Kwadrans później znaleźliśmy się na miejscu. Niemal przed samym domem. Farmer wysiadł, wcisnął tacie dychę do ręki, burknął: „Kuje". I tyleśmy go widzieli.

Od tego czasu tato powtarza, że niełatwo znaleźć właściwego dar-biorcę. Skoro już się trafi, trzeba korzystać z okazji.

– Co robisz jutro? – spytał Bond, odprowadzając mnie przed sam blok. – Bo ja, jak wiesz, muszę wyskoczyć do rodziny. Zaduszki zobowiązują. – Cicho westchnął. – Ale gdybyś tylko potrzebowała czegoś...

– Jedź, jedź. Postaram się nie tęsknić za bardzo – zażartowałam.

Ale w gruncie rzeczy poczułam ulgę. Wrócił dawny troskliwy Bond. Takiego wolę, nawet jeśli czasem przesadza z zamartwianiem.

*

Święto Zmarłych. Dla mnie dzień jak każdy. No prawie. W tym konkretnym wypadku „prawie" nie robi zbytniej różnicy. Może gdybyśmy mieli rodzinne groby blisko miasta. Ale złożyło się inaczej. Dziadek ze strony taty spoczywa w urnie, gdzieś na Florydzie. Choć nie wiem, czy „spoczynek" to właściwe słowo. Bo kiedy babcia poznaje nowego wielbiciela, przenosi urnę do garażu. A kiedy znowu jest sama, dziadek wraca do kuchni albo sypialni. Natomiast rodzina ze strony mamy... to takie skomplikowane. Jedni dziadkowie żyją, inni leżą daleko stąd, na północy Polski. Jeździmy tam latem. To znaczy jeździliśmy kiedyś. Teraz rodzice opłacają specjalną firmę, która sprząta grób kilka razy w roku. Na święta i w Zaduszki pali znicze, i wysyła nam zdjęcie tego samego dnia. Komputerem. Więc moje Zaduszki wyglądają tak, że rano idę na Stary Cmentarz, pooglądać zabytkowe groby. A wieczorem odbieram fotkę przedstawiającą rzęsiście oświetlony grobowiec dziadków.

– Skąd wiesz, że to nie jest wirtualna ściema? – zapytał Krejzol.

Wpadliśmy na siebie tuż po wyjściu ze Starego Cmentarza. Chciałam, żeby mi zdradził, co też tam robi, więc uchyliłam rąbka rodzinnych tajemnic. Zamiast się odwzajemnić, zapytał, skąd wiem, że to prawdziwe znicze.

– Bo łatwiej je kupić, niż urządzać photoshopki. Poza tym wujkowie zaglądają na cmentarz. Jeśli coś nie gra, od razu dzwonią do mamy.

I nie bez satysfakcji informują, że znowu wywaliła pieniądze w błoto. Przez ostatnie pół roku nie mieli powodów do radości. Telefon milczy jak zaklęty.

– A wujkowie nie mogą sami zapalić zniczy?

Dobre pytanie, co znaczy, że nie znam dobrej odpowiedzi.

– Co ty tu właściwie robisz? – odbiłam piłeczkę.

Krejzol spuścił wzrok i zaczął poprawiać bluzę. Winny? Ale czego? Chętnie bym się dowiedziała, nie będę jednak naciskać. Sama nie lubię, kiedy ktoś mnie zasypuje natrętnymi pytaniami. Od razu się zamykam. Na cztery spusty.

– Myślałeś o naszej stronie? – zmieniłam temat.

– Coś tam poszperałem w internecie – bąknął.

Zgodnie z sobotnimi ustaleniami Krejzol miał szukać danych do sekcji zatytułowanej roboczo „Działania masowe". Jak powszechnie wiadomo, zwykły konsument sałatki z tuńczykiem nie lubi się męczyć, fizycznie ani mentalnie. Nie lubi też przepłacać. By zrobił coś dla środowiska, musi dostać gotowca. Atrakcyjny pakiet rozwiązań, które nie obciążają kieszeni ani mózgu. I tych mu dostarczymy. Na wyciągnięcie ręki.

– Znalazłeś coś ciekawego? – spytałam.

– Jedną prostą radę. – Umilkł, onieśmielony.

– No dawaj.

– Kiedy sikasz pod prysznicem, zużywasz mniej wody – wypalił.

Świetnie, niech jeszcze znajdzie coś na temat ekologicznego robienia kupy. Nasz blog zyska ogromne powodzenie.

– Ciekawa propozycja – zaczęłam ostrożnie, by nie zgasić Krejzola. – Ale obawiam się, że...

– Ja też miałem obiekcje – wtrącił.

– Naprawdę? – ucieszyłam się.

– No pewnie. Przecież każdy już to robi.

*

Rada numer siedem: „Zapomnij o fast foodach. Kup lokalne produkty i zabaw się w Nigellę". W tę Nigellę, która czaruje „przysmakami" z białej mąki, cukru i tłustej śmietany? Od samego patrzenia robi mi się niedobrze. Może dlatego, że w ogóle nie kręci mnie jedzenie. To znaczy lubię kosztować, zwłaszcza nowości. Tu skubnąć orzeszka cedrowego, tam uszczknąć kawałek koziego sera. Ale ślęczeć kwadrans nad kotletem wielkim jak dłoń... co za nuda! Gdyby w jakiejś restauracji wprowadzono zestawy testowe, na przykład dwanaście mini czarek z różnymi zupami, byłabym stałą klientką. Ale póki taka usługa nie jest dostępna (poza darmowymi próbkami w hipermarketach), szykuję na obiad trzy ziemniaki z kefirem, czasem omlet z powidłami śliwkowymi. Jeśli już bardzo chcę zaszaleć – paprykowe leczo, w pięciu różnych smakach. Ale na ogół żywię się kanapkami, o ile można tak określić chleb posmarowany pastą pomidorową z jednej strony, kiszonym szczawiem z drugiej i kleksem musztardy pośrodku. Skoro jednak mam być ekodziewczyną, muszę sprawić, by „mój talerz pokrył się wszystkimi odcieniami zieleni" (cytat z „Miastówki"). Dlatego od następnej soboty będę kupować mnóstwo warzyw. Nie w Realnym, ale na placu targowym. Prosto od rolników. Szykuje się moc wrażeń. Nie byłam tam od końca podstawówki. Nawet nie wiem, czy umiem się targować. Ale to chyba nie jest konieczne.

Postanowiłam też jadać obiady na mieście, sprawdzając przy okazji, które miejsca są najbardziej przyjazne środowisku (a więc i ludziom). Najpierw, ustaliłam, przetestuję Naleśnikarnię, bo jest modna i, co ważniejsze, leży żabi skok od mojego domu. Poza tym można zamawiać pół porcji, nawet ćwiartkę. I podają wszystko na talerzach z liści palmowych.

– Talerze z liści? – oburzyły się siostry Brönte. Jedyne godne ich uwagi talerze są zrobione z cieniutkiej porcelany. I należały do Heathcliffa. Reszta to fajans.

– Modna? Czemu nic o tym nie wiem? – zirytowała się Kama.

Spotkaliśmy się jak zwykle w Gołębniku, żeby przyjemnie spędzić tę godzinkę pomiędzy nudną matmą i jeszcze nudniejszą fizyką. I było miło, dopóki nie dołączył do nas Joszko. Klapnął ciężko tuż obok Kamy (siostry Brönte się najeżyły) i od razu przypiął się do mnie.

– Jak tam Indianin? Dogadujecie się jakoś? Ten dialekt zza Rzeki bywa taki...

– Mam dar do języków – przypomniałam, nie wdając się w tłumaczenia. Przynoszą zwykle odwrotny skutek.

Zresztą powiedzmy sobie szczerze: ja też się spodziewałam trudności komunikacyjnych. Nawet sprawdziłam na stronie „zarzecze-rulez.com" kilka obowiązujących zwrotów. Nie żeby się wygłupiać jak wujek Wąs, który udaje mojego rówieśnika. Na powitanie rzuca „heja", potem zaczyna długą opowieść o znajomkach z Facebooka, co chwilę wciskając jakieś „kminisz" czy „wypas". A kiedy się żegnamy, klepie mnie po łopatce niczym konia i mówi „narka". Żałosny popis. Ja tylko chciałam lepiej zrozumieć Krejzola. Na szczęście okazało się, że mówimy niemal tym samym językiem. Owszem, Krejzol używa dosadnych określeń, ale nie z powodu ubogiego słownika. To raczej kreacja na twardziela. Równie nieudolna jak podróbki jego dżinsów.

– Ukradł ci coś? – spytała Kama.

– Tylko serce – zakpił Joszko, przyciskając swoje malutkie dłonie do piersi.

– Moje serce jest już zajęte przez przystojnego prawnika – oznajmiłam chłodno.

Rany, jeszcze nigdy nie powiedziałam trzech kłamstw naraz! Po pierwsze, moje serce nie jest tak bardzo zajęte, po drugie, Bond nie jest żadnym ciachersem. I dopiero kończy studia.

– Jak ma na imię?

– Adam – skłamałam, nawet nie spuszczając wzroku. Co za wprawa. – I powiem wam, że naprawdę wkręca się w nasz projekt.

– Wtedy nie wydawał się zachwycony.

– Bał się, że nie wyrobi. Też jest w maturalnej, i jeszcze musi przygotować prace z rysunku. Składa papiery na architekturę – zmyśliłam na poczekaniu.

– Co będzie projektować? Hipermarkety? – prychnął Joszko, ale widać było, że wiadomość zrobiła na nim wrażenie.

– Bardzo bym chciała. Adam ma niesamowitą wyobraźnię... – Zawiesiłam głos. – Jak Gaudi. Dlatego kumple nazywają go Krejzolem. Bo wykracza poza znane im standardy.

– Żeby nie przesadził – martwiła się Aleks. – Pewnych granic nie można przekraczać.

– Przynajmniej będzie zabawnie – rzuciłam.

– Ustaliliście coś? – spytał Joszko. Takim tonem, jakby już znał odpowiedź. W takiej sytuacji nie należy mówić: „Oczywiście", tylko podrzucić parę konkretów.

– Rozpoczęliśmy niedawno szeroko zakrojone ekotesty – wyrecytowałam niczym własny rzecznik.

Żargonem, który sprawia wrażenie kompetencji. – Na razie badania obejmują dział spożywczy.

Przekładając na zwykły język, Krejzol wciągnął paczuszkę chipsów, a ja brązowe kuleczki natto. Ukryte pod grubym plastrem sera pleśniowego. Ale i tak okazały niezwykłą moc wymiatania.

– Potem przejdziemy do branży kosmetycznej i wreszcie odzieżowej. – Jak już dostanę paczkę z ekociuchami. – Mamy też plan, żeby sprawdzać knajpki i jadłodajnie. Oczywiście anonimowo.

– Od której zaczniesz? – zainteresował się Mikołaj. Poza pocieszaniem przegranych ma inną pasję: jedzenie poza domem.

– Myślałam o Naleśnikarni. Robi się modna, napisali w lokalnym dodatku do „Miastówki".

– Modna? Czemu nic o tym nie wiem! – zirytowała się Kama, natychmiast proponując, byśmy wyskoczyli tam razem. Całą ekipą.

Już, już miałam się zgodzić, ale nagle coś mi piknęło. Odmówiłam.

*

I całe szczęście. Ja to jednak mam intuicję. Siedziałam właśnie w pustej salce, czekając, aż mi podadzą naleśniki. Pół porcji ze szpinakiem i pół z wędzonym serem. Wreszcie przybyły, na kwadratowym talerzu z otrąb.

– Palmowe niestety się skończyły – usłyszałam znajomy głos.

Podniosłam głowę. I wszystko jasne.

– Krejzol? Ty tutaj?

– Nie wydajesz się ucieszona – zauważył, z zakłopotaniem poprawiając kucharską czapkę. Czy raczej berecik.

Bo wyobraziłam sobie reakcję znajomych. Naśmiewaliby się z Krejzola jak... wolę nie wspominać dawnych czasów. Było, minęło.

– Zaskoczyłeś mnie – przyznałam. – Do głowy mi nie przyszło, że umiesz gotować takie fikuśności. Na ogół ludzie – to znaczy ja – nie wychodzą poza jajecznicę z koperkiem.

– Pichcenie to wyraz buntu przeciw staremu. Znaczy, są z matką w tym samym wieku, ale po nim jakoś bardziej widać – dodał, nieco zdziwiony odkryciem.

– Buntu?

– Zaczęło się od wbijania gwoździ. – Umilkł i westchnął. – To długa historia.

Wskazałam na swój talerz.

– Zejdzie mi kwadrans jak nic. Możesz nawijać.

– Taka długa to nie jest – wypalił.

Zrozumiałam. Pora użyć ulubionego zwrotu magister Lotos.

– Nie musisz nic opowiadać. Ja też się zwierzam tylko wybranym. Więc jeśli się boisz albo...

– Matka ciągle trzeszczała na starego – rzucił, bez robienia efektownych wstępów. – Że to, że siamto. Oczywiście za jego plecami – wtrącił – czyli głównie do mnie. Zresztą wiesz, jak to jest.

Nie wiem (mnie się nikt nie uskarżał na tatę, nawet bracki rozczarowany nietrafionym prezentem), ale przytaknęłam. Żeby nie psuć nastroju do zwierzeń.

– Matka miała rację. Ojciec nawet gwoździa w ścianę nie wbił. Więc się nauczyłem, dla niej. Żeby mi nie brzęczała nad uchem – dodał zaraz. – Potem opanowałem pralkę i malakser. A w gimnazjum to już samo poszło. Prasowanie, froterowanie, czyszczenie fug w łazience.

– I smażenie naleśników – dokończyłam.

– Z tym było trochę inaczej. – Odchrząknął, zakłopotany. – Ojciec powtarzał, że kuchnia to miejsce dla bab. Więc mu pokazałem, że niekoniecznie.

Nie skomentowałam, więc szybko zmienił temat, pytając, co tu właściwie robię.

– Testuję modne ekojedzenie do naszego bloga.

Krejzol się zaśmiał, co zabrzmiało jakby kaszlnął.

– Nie jest modne? – oburzyłam się.

– Na pewno nie jest eko. Ale o tym wolę pogadać poza obiektem. – Zerknął w stronę większej sali, gdzie siedziała znudzona kelnerka. – Kończę za pół godziny. Poczekasz?

Na ogół w takich chwilach wzdycham i mówię, że jestem bardzo zajęta. Ale dziś zżerała mnie ciekawość. Poza tym Bond odwołał spotkanie z powodu kolokwium, więc nagle zyskałam kilka godzin. Głupio je przesiedzieć nad matmą. Zwłaszcza że rachunek prawdopodobieństwa mam już obcykany na szóstkę.

– Poczekam w knajpce naprzeciwko – orzekłam wspaniałomyślnie.

W tej samej chwili uświadomiłam sobie, że po raz pierwszy spotykamy się w Ścisłym Centrum. W jasny dzień. I to nieprzypadkowo, jak w dzień Zaduszek. A jeśli ktoś przyuważy nas razem? Siedzących przy tym samym stoliku? Rozejdą się plotki i... „Co z tego" – rzuciłam, zadziornie (choć tylko w myślach). Co z tego? No właśnie!

Blagierka

*

– Warzywa i owoce z puszek, mleko UHT z kartonu, brązowy cukier tylko do dekoracji, mąka wyłącznie biała – wyliczał Krejzol – więc dosypujemy otręby, żeby ciasto „jakoś wyglądało". Ser balansuje na granicy daty ważności. Jajka „trójki", bo tańsze.

Przywlókł się kwadrans temu, ciężko opadł na kanapkę i zaczął opowiadać.

– Oczywiście wszystkie produkty pochodzą z tego samego hipermarketu, który zaopatruje Zarzecze. A woda płynie z kranu. Za to talerze są naprawdę eko – zakończył, krzywo się uśmiechając.

– Znasz numerację jajek? – zapytałam z głupia frant. Czasem mi się wyrwie, kiedy nie wiem, co powiedzieć, bo temat lekko mnie przerasta.

– Co to za problem. – Krejzol wzruszył ramionami. – Każdy głupi zapamięta cztery cyferki.

– Ale nie każdy ma czas, by je poznać – rzuciłam, zirytowana. Ja, na przykład, dowiedziałam się o jajkach dopiero w zeszłym tygodniu.

– Wszędzie o tym trąbią, wystarczy wyjąć słuchawki z uszu.

Uznałam to za atak, więc od razu odbiłam piłeczkę.

– Dlaczego pracujesz w takim miejscu? Dla kasy?

– Dostaję siedem zeta za godzinę – mruknął Krejzol.

„Więc czemu nie odejdziesz?" – mogłabym zapytać. Ale w porę ugryzłam się w język. Czasem lepiej nie wiedzieć. Zwłaszcza jeśli i tak nie da się niczego zmienić. Przecież Krejzol nie przyjąłby ode mnie żadnej pomocy.

– Mam pomysł – wyjawiłam ucieszona. – Będziemy opisywać takie miejsca. W specjalnym dziale: „Zgniła zieleń".

Zerknęłam na Krejzola. Minę miał nietęgą.

– Nic ci nie grozi – zapewniłam. – Opiszę to tak, że na ciebie nie padnie cień podejrzenia.

– Wcale się nie boję – odburknął, urażony. – Zastanawiam się tylko, czy nie robisz im darmowej reklamy. Ludzie wolą czytać złe recenzje i chętnie odwiedzają miejsca owiane ponurą sławą.

– Tego na pewno nie odwiedzą. Moja w tym głowa.

*

Zanim jednak wezmę się za szczegóły, musimy ustalić ostateczny kształt projektu. Po burzliwej sobotniej dyskusji (w czasie której Krejzol pochłonął paczkę suszonego ananasa, a ja wypiłam morze bioaktywnej herbaty z algami) zdecydowaliśmy, że będą cztery sekcje:

1. „Dzieje się" – ekonewsy z kraju i ze świata. Bez czarnowidztwa i nudzenia.

2. „Zrób coś" – rozwiązania dla tłumów. Mają być proste, tanie, na wyciągnięcie ręki. Krejzol mruknął, że mu to przypomina stoiska ze słodyczami umieszczone tuż przy kasie. „No właśnie! – podjęłam – mało kto im się oprze".

3. „Testujemy" – recenzje ekoproduktów, prowadzone w formie bloga. Będzie dowcipnie, ale bez zabawiania na siłę.

4. „Zgniła zieleń" – czyli za kuchennymi drzwiami. Albo (jak to nazywa Krejzol) ekościema.

Zbieraniem danych do dwóch pierwszych działów zajmie się Krejzol. I stroną graficzną również. Ja zaś obejmę nadzór redakcyjny nad całością. Krótko mówiąc, będę pisała. Na razie nie mam za bardzo o czym. Wysmażyłam wprawdzie kilka próbnych notek, ale wydają mi się ciut niedoprawione. Jak ekokrupnik z torebki, który nabyłam w „Zielonym gaju". Niby lekki, zdrowy i w odpowiednim odcieniu, ale czegoś mu brakuje. Możliwe, że smaku. Wstyd czymś takim częstować ludzi z mojej klasy. Są zbyt wybredni. Dlatego na razie zaserwuję szkielet, postanowiłam w mglisty poniedziałkowy poranek. Potem zdradzę wyniki pierwszych testów. W tabelce, to zawsze robi wrażenie. I natychmiast przejdę do planów na następne tygodnie. Przy dobrych wiatrach mogę nadawać jakiś... kwadrans. Żałośnie mało. Aleks umiałaby to rozwłóczyć do dwóch godzin. Jest mistrzynią przeciągania. Wyrwana do odpowiedzi, potyka się o własną torbę, wysypując całą jej zawartość na podłogę. Natychmiast pada na kolana, żeby wyzbierać wszystkie drobiazgi. Niechcący uderza o brzeg ławki. Nabija sobie guza albo strąca okulary. Szuka ich po omacku, omal nie przewracając krzesła. Sąsiedniego, bo własne już wywróciła. Śpieszy się, ale jest tak roztrzęsiona, że robi coraz większy rozgardiasz. Przy tym ciągle przeprasza tym swoim drżącym głosikiem. Nie ma mocnych, żeby ktoś ją teraz przepytał. Niektórzy belfrzy nawet nie wywołują jej do tablicy z obawy przed skutkami ubocznymi. Gdybym tylko była Aleks... ale nie jestem. Dlatego muszę pójść własną drogą. Drogą Paris. Po pierwsze, nie będę się zamartwiać na zapas. A po drugie, głowa do góry. Im gorzej, tym wyżej, wyszeptałam swoją ulubioną regułę, pewnym krokiem wchodząc do jedenastki.

– Mamy zastępstwo – powiadomiła mnie Aleks, już w progu. – Lotosowa jest na L4.

– Podobno straciła równowagę – wyjawił Mikołaj z pewnym współczuciem. – Syndrom wypalenia. Nie będzie jej całe dwa tygodnie.

– Dwa tygodnie – powtórzyłam, nie okazując ulgi. – Odpoczynek przyda się każdemu.

A po powrocie ze szkoły jeszcze jedna miła niespodzianka. Ledwo odwiesiłam kurtkę, do drzwi zadzwonił kurier. Z moją paczką. I pomyśleć, że niektórzy nie lubią poniedziałków. Pogwizdując, przystąpiłam do ceremonii otwarcia pudła. Najpierw wyjęłam matę. Rzeczywiście wygląda profesjonalnie, aż żal ją trzymać pod łóżkiem. Żeby o tym zbyt długo nie myśleć, rozłożyłam spodnie. Fason super, kolor trochę inny niż na zdjęciu, ale ujdzie, za to rozmiar... co najmniej trzy numery za duży. Jak to możliwe? Przecież zamówiłam eskę! Niby jest, ale niedbale wszyta na okrętkę. Co znaczy, że ktoś kombinował z rozmiarówkami. Ładny mi fair-trade. Ale nie będę się zrażać z powodu bzdury. Jutro po szkole zaniosę spodnie do krawcowej. Przy okazji wesprę polskie rzemiosło, pomyślałam, zerkając na bluzy. Zupełnie inne niż ta na zdjęciu w sklepie. Ładne, nie powiem, ale dla faceta, i to mocno wyrośniętego. Mogłabym zwrócić i czekać na nowe, ale nagle pomyślałam o Krejzolu.

*

– Chociaż przymierz.

– Nie biorę od...

– No od kogo, zdradź mi. Chętnie się dowiem!

– Od osób, którym nie mogę się zrewanżować – wypalił wreszcie, zawstydzony.

– Coś wymyślimy. Spłatę w naturze – zażartowałam.

Krejzol zrobił taką minę, jakbym poczęstowała go zgliwiałym serem. Zabolało, ale nie będę robić z tego afery. Człowiek musi dostać kosza, przynajmniej raz w życiu. A poza tym ja mam superfaceta. Nie muszę się prowadzać z amstaffami z Zarzecza.

– Albo pomyjesz mi okna – dodałam szybko.

Krejzol spuścił głowę. Zrozumiałam i zrobiło mi się naprawdę głupio.

– To znaczy, ja bym chciała dać ci tę bluzę za darmo – wyjaśniłam. – Na mnie nie pasuje, brat jest za mały. Tato znowu za duży. Nie mam nikogo, komu mogłabym to sprezentować.

– A twój chłopak?

Że też nie pomyślałam o Bondzie. Dziwne.

– Ma inny styl – wymyśliłam na poczekaniu. – Taka bluza zupełnie do niego nie pasuje. A do ciebie jak najbardziej. Ale skoro masz cykora...

Krejzol bez słowa zdjął pasiasty tiszert (ordynarna podróba A'Bidasa), ukazując umięśnione łapska, brązowe, ale tylko do łokci. Co wyglądało, jakby założył wieczorowe rękawiczki.

– Mam minikwarcówkę – wyjaśnił, widząc moją minę. – Ostatnio byłem zalatany, więc opalam to, co wystaje.

„Nie lepiej pójść do solarium?" – chciałam zapytać, ale natychmiast ugryzłam się w język. Bo od spotkania w Naleśnikarni chyba znam odpowiedź.

– I jak leży? – spytałam po chwili.

– Ty mi powiedz.

– Beckham się chowa – rzuciłam, nieco na wyrost. Widząc rumieniec Krejzola, sprostowałam natychmiast. – To znaczy ujdzie w tłumie.

Zadowolony, wypiął klatę.

Gdyby tylko trochę się postarał, wyglądałby całkiem, całkiem. Na pewno lepiej od Joszka, choć ten obwiesza się metkami.

– Wielkie dzięki – wymruczał, nakładając swój żałosny podkoszulek. – Ale co teraz zrobisz?

Nie zrozumiałam.

– Bo skoro oddajesz mi swoją bluzę, to zostaną ci tylko...

– Zamówię nową. Po prostu.

Tym razem znanej firmy HaM. Ostatnio wprowadzili nową linię chillout, z bawełny organicznej. Zaprojektowaną przez samą Madonnę. Chesus usiłował stłamsić mój zachwyt, wyjaśniając, jak to w praktyce wygląda.

– Najpierw sto zdolna mrówka robi projekta za półdarmo. Potem taka Madonna wybiera najlepsi, wpisuje swoje logo i pobiera taka kasa jak sto mrówka. Razy pięć.

Ale przynajmniej rozmiar się zgadza i kolory także. Mam nadzieję. Poza tym znalazłam superdżinsy, przecenione z czterech stów na dwieście pięćdziesiąt. Są wprawdzie ze zwykłej, tureckiej bawełny, za to mają guziki z recyklingu. Kiedy pochwaliłam się Chesusowi, zaczął bić mi brawo. Zaciekle niczym królik napędzany bateriami Dupaceli.

– Ekologia na wielkie E. A mozie G od guzika?

– Przynajmniej coś zmieniłam.

– Guzik.

Cały Chesus. Najpierw radzi, żebym robiła ekorewolucję po swojemu. A potem się nabija.

– Bardzo zabawne – mruknęłam.

– Zabawne? – prychnął, dolewając sobie herbaty. Zielonej, bo innych nie pija. Ani kawy czy alkoholu. Jak powtarza, jest zbyt dumny, by zostać niewolnikiem używek. – Dla mnie smutna. Bardzo smutna!

– Niby dlaczego?

– Nie widzi, nie widzi? – irytował się Chesus. – To niech uwidzi!

A potem spytał, co zrobię ze starymi ciuchami. Puszczę w obieg, oznajmiłam cytując specjalistów z „Miastówki". Rada numer osiem: „Podziel się zawartością szafy nie tylko z molami". Ale jak znaleźć potrzebujących? Na przykład wystawiając reklamówkę pełną ubrań koło śmietnika. Dzięki, tego już próbowałam. Na początku liceum. *Urosłam wtedy ponad dziesięć centymetrów. W jedne wakacje. Skupiona na oswajaniu*

Londynu, nie dostrzegłam zmian we własnym ciele. Nawet jeśli zawadziłam ręką tu czy tam, zwalałam winę na „angielskie kanty, równie nieoczekiwane jak te ich dowcipy". Mamie wystarczył rzut oka na moje przeguby wystające z rękawów kurtki. Kupionej wiosną.

– Cała garderoba do wymiany – oznajmiła, bez żadnej troski z głosie.

Bo w Londynie można się ubrać za półdarmo. W ciuchy tak modne, że u nas w Polsce pojawiają się wyłącznie na trendsetterkach. Świetnie, wreszcie do nich dołączę, cieszyłam się, wypakowując z plecaka kolejne ubrania. Ale najpierw muszę im znaleźć miejsce w swojej szafie, przepełnionej niczym autobus w porze korków. Po nieudanej próbie wciśnięcia pary odjechanych spodni, postanowiłam zrobić wielkie czyszczenie. Do wieczora nafaszerowałam ciuchami trzy potężne wory. Co teraz? Proste. Zostawię przy śmietniku, na pewno znajdą się chętni. W okolicy, choć to Ścisłe Centrum, nie brak biedaków. Grzebią w koszach, szukając puszek i metalu. Tym razem znajdą coś z górnej półki. W dodatku podane jak na tacy. Tuż przed północą wytaszczyłam worki i zostawiłam oparte o trzepak tuż obok altanki. Zajrzałam tam dwa dni później, tuż po szkole i stanęłam jak wryta na widok ubrań walających się dookoła koszy. Moje fikuśne bluzki, w których zadawałam szyku na ostatnich koloniach. Swetry, kiedyś nieskazitelne, teraz całe w gnijących obierkach, spodnie, dawniej bez jednej plamki, nasiąkają deszczem. I moje ukochane balerinki ciśnięte w błocko. Zrobiło mi się niedobrze. Więc natychmiast pobiegłam do chaty. Przez następne miesiące wywalałam śmieci trzy bloki dalej. Ostatniej wiosny zaszłam na nasz śmietnik, całkiem przypadkowo. Tuż obok altany leżała popękana balerinka.

– Na wysypisku gniłaby tyle samo – zauważył Krejzol.

Ale jak powtarza Kama, co z oczu, to i z serca. Zresztą kto mówi o wyrzucaniu? Ja chcę oddać ubrania ludziom, którzy potrafią docenić dobrą jakość. I styl.

– Masz pomysł, gdzie ich znaleźć? – zainteresował się Bond.

Przez chwilę myślałam, że znowu chce mnie zgasić. Ale nie, wydał się naprawdę zaciekawiony.

– Sam chętnie bym się pozbył wielu rzeczy – wyjaśnił. – Moje szafy ledwo dyszą.

Jak widać, nawet Bond nie radzi sobie z problemem. Ale ja muszę znaleźć rozwiązanie. Na początek, postanowiłam, podzwonię po fundacjach i spytam, czy nie potrzebują ubrań. Prawie nowych, prawie nienoszonych, ciągle modnych.

*

– I prosto z Londynu – zakończyłam wyliczankę głosem osoby, która niczego nie musi się pozbywać. Pełny luz, także w szafie.

– Z Londynu? Mamy takie, tuż za rogiem. Po trzy złote sztuka – odparła szefowa fundacji, do której udało mi się wreszcie dodzwonić. – A obok odzież francuską i niemiecką. Jest w czym przebierać.

– Same markowe – przekonywałam, ale bez naciskania. Nic nie zniechęca bardziej niż entuzjazm wzorowego akwizytora.

– Markowe? – Ziewnęła pani z drugiej fundacji. – Innych tu nie nosimy. Tylko Lewasy, Puchy i Reboosy.

Został mi ostatni argument.

– Podobny styl lubi Kylie Minogue – rzuciłam, starając się, by to nie brzmiało rozpaczliwie.

– Nawet jakby były po Dajanie, królowej ludzkich serc, nikt by się nie podniecał. Nie dziś.

– A co teraz budzi emocje? – spytałam szefową kolejnej fundacji, znudzoną niczym chrabąszcz majowy.

– Pieniądze, wyłącznie. Bo ubrań to każdy ma potąd. – Ciężko westchnęła, pewnie wizualizując własne szafy.

Moje, jak wiadomo, też są przekarmione, dlatego muszę je opróżnić, zanim dostanę mdłości. Pytanie tylko, gdzie znaleźć odbiorców równie chętnych jak mole.

– U nas na osiedlu organizuje się wymianę ciuchów – podpowiedział Krejzol. – Babki zbierają się w sali dawnego kina i wystawiają towar. Ile przy tym emocji! Moja cioteczna babka powtarza, że to lepsze niż flirty w sanatorium.

Wymiana? Z moją klasą? Od razu sobie wyobraziłam Kamę paradującą w moich sandałach, a siebie w jej dżinsowej spódnicy, z plecaczkiem Joszka i czapką, która należała... Dosyć! To stanowczo zbyt intymne doświadczenie. Poza tym ja nie chcę niczego wymieniać. Nawet na lepsze. Wolę kupić nowe. I produkować kolejne śmieci? Cholerka, co tu zrobić z górą całkiem fajnych ciuchów?

– Prywatny recykling – podsunął Krejzol. – Skoro nie możesz ich upchnąć, zmień w coś, co ci się przyda.

W „Miastówce" też o tym pisali, dołączając wykrój wakacyjnej torby plażowej. Uszytej ze skrawków starych dżinsów. Pamiętam, że to zdjęcie rozczuliło moją mamę. Podobno w liceum miała taką samą. Do tego letni kapelusz. Skrawki kompletowała całą wiosnę. Dziś wystarczyłoby odwiedzić szmateks. Albo otworzyć szufladę.

– Może to i dobry pomysł – przyznałam.

Przetworzyć kilka zbędnych rzeczy na coś unikatowego, a jednocześnie frisky. Muszę tylko znaleźć odpowiednią technikę. Bo z szyciem jestem na bakier. Od zawsze. To znaczy umiem nawlec igłę i zrobić zgrabny węzełek na końcu nitki.

– A jeśli odpadnie ci guzik? – zainteresował się Krejzol.

– Przypinam agrafką i czekam na Bonda. On to załatwia.

Wcześniej naprawami zajmował się tato. Ja też raz spróbowałam, przyszywając sobie guzik do spódnicy i nowiuśkich rajstop.

– Chyba nie powinnaś tego robić na kolanie.

– Wyciągnęłam inne wnioski – zdradziłam Krejzolowi. – Zamiast się mozolić, lepiej oddać sprawę w ręce specjalistów.

– Nie myślałaś, żeby iść na kurs szycia?

Blagierka

*

Kiedyś chętnie, jak już będę się bardzo nudziła. Na razie o nudzie nie ma mowy, wręcz przeciwnie. Ciągle coś się dzieje, nie tylko w szkole. Właśnie zaczęły się próby do „Śniegowej kuli". I musimy zostawać po lekcjach. Ja na razie tylko się przyglądam, jak ćwiczą inni, więc można powiedzieć, luzik. Ale kiedy sobie przypomnę, że już za kilka tygodni wyjdę na scenę... wolę zmienić temat. Jedyny plus z przedstawienia, że magister Lotos przestała wypytywać o ekoprojekt. Jest zbyt zajęta swoją nową rolą reżysera. Nie reżyserki. A co do ekostrony, stawiamy ją z Krejzolem od zeszłej niedzieli, więc bez przerwy są tarcia. Oczywiście o duperele, o co by innego! Jak powszechnie wiadomo, nic ludzi nie różni bardziej niż drobiazgi. Wczoraj na przykład posprzeczaliśmy się o kolor tła. Ja wolę odcień pistacjowy, Krejzol upiera się przy młodym groszku. W końcu stanęło na limonkowym, który nie podoba się żadnemu z nas. Na tym podobno polega kompromis. Nic dziwnego, że rozstaliśmy się w wisielczych humorach. A dziś kolejna sprzeczka, niemal w progu bardzo dużego pokoju. Poszło o notkę do działu newsów. Otóż Krejzol znalazł informację, że Unia zakazała importu foczych futer z Kanady. Przy okazji napomknął, ile foczych szczeniąt jest zabijanych w bestialski sposób.

– Wreszcie ktoś ukróci to barbarzyństwo – warknęłam, nie wiem na kogo bardziej wkurzona: na tych cymbałów myśliwych czy na Krejzola, że mi zdradza takie okropieństwa.

– Nie do końca ukróci – odrzekł. – Nadal można przywozić do Europy wyroby etniczne. A poza tym nikt nie zakazał tranzytu, więc w zasadzie...

– Tego nie będziemy umieszczać – oznajmiłam stanowczo. – Skupimy się na tym, że Unia zakazała importu. Koniec kropka.

Krejzol wywrócił oczyma. W tej sytuacji musiałam rozwinąć temat. Na ogół wcale się nie tłumaczę. Ale czasem warto kogoś oświecić.

– Wierz mi, sporo na ten temat czytałam. – Poczynając od „ABC sztuczek pozaszkolnych", poprzez „Mroczne tajniki mody", a kończąc na „Manipulowaniu grupami ludzkimi". – I ze wszystkich źródeł wynika, że jeśli ludzie widzą postęp, chętniej się przyłączają do działania. Mało kto lubi walczyć o przegraną sprawę.

Westchnął, ale ustąpił. Jak widać, wypracowanie wspólnego stanowiska sporo nas kosztuje. A przy tym ciągle testujemy nowe frykasy (ostatnio paluchy orkiszowe, zdaniem Bonda nieco trociniaste). Najpierw trzeba je wyłowić z morza produktów ekopodobnych. Lub, jak je nazywa Krejzol, paranaturalnych. Po kilkunastu zakupowych wtopach zaczęłam uważniej czytać skład. Co wymaga czasu. I dobrej lupy.

– Że też najważniejsze rzeczy są pisane tak małymi literkami – dziwił się Krejzol.

– A o niektórych nie mówi się wcale – wtrąciłam tonem znawczyni. – Normalka.

– Uważasz za normalne robienie ludzi w konia?

– U nas w szkole nazywamy to autopromocją – wyjaśniłam z pewną wyższością.

– Normalka – prychnął Krejzol. Co mnie bardzo zirytowało.

– Ty nigdy nie udawałeś? Zawsze kawa na ławę?

– A czy ty kiedykolwiek byłaś sobą? – odciął się, patrząc mi prosto w oczy.

– Owszem, byłam.

I nie za bardzo mi się opłaciło, dodałam w myślach, czekając na ruch Krejzola. Zacznie teraz wypytywać? I co gorsza pocieszać? Czy sobie odpuści i zmieni temat. Na szczęście wybrał to drugie. Ciekawe, czemu?

– Macie superkolekcję płyt – zauważył nagle, stając przed witrynką rodziców. – Queen, Genesis. I Depeche Mode! Kultowa kapela.

Jak dla mnie starzyzna z poprzedniego wieku. Wolę nowoczesne zespoły. I nośniki też. Na przykład u nas w szkole wszyscy słuchają empetrójek, prawie nikt już nie kupuje płyt. Co prawda oldskulowe winyle robią się modne, ale nie na tyle, bym mogła się pochwalić płytami rodziców. Przydały się tylko raz, kiedy urządzaliśmy w gimnazjum imprezę vintage. Moje akcje u siostry Passiflory wzrosły o dwieście procent. Od absolutnego zera!

– Sporo grunge'u – ciągnął Krejzol, zachwycony. – Nirvana, stary Hey.

– Wychowałam się na tym, podobno.

Tato puszczał mi zamiast kołysanek, przez pierwsze cztery lata życia. A wcześniej słuchała Heya mama. Można powiedzieć, że grunge mam we krwi. Może dlatego nie muszę go słuchać. Nie muszę i nie chcę.

– Mieliśmy tego więcej, ale tata podarował siostrze Passiflorze, uczyła w Gimnazjonie. Informatyki i religii.

Wzruszona prezentem, oznajmiła tacie, że może ją prosić o cokolwiek. Nawet po śmierci.

Blagierka

– O rany! „Home by the sea"! – ekscytował się Krejzol. – To dopiero kawałek. Mam fragment jako dzwonek w komórce.

– Ja sobie wgrałam Idę Corr.

Dynamiczna, sexy i pełna dobrej energii. Wszyscy mówią, że świetnie do mnie pasuje.

– Lubisz pop – stwierdził Krejzol. Zabrzmiało to trochę jak przygana.

– Ale nie słucham Elektryny – zapewniłam natychmiast.

– Bo nie ma czego słuchać. Laska nagrała jedną marną płytę, którą obraca w kółko na wszystkich plenerowych imprezach.

– Przynajmniej nie produkuje nowych śmieci – wtrąciłam. – Mistrzyni muzycznego recyklingu.

– A jak tobie idzie z utylizacją ubrań? – przypomniał sobie Krejzol.

– Dwie tuniki podarłam na ścierki. Jedną udało mi się oddać do komisu – pochwaliłam się.

– A reszta?

Czyli siedem par spodni, dziesięć bluzek i dwa wełniane szaliki. O licznych swetrach, kurtkach i spódnicach nawet nie wspominam. Chyba jednak poproszę o pomoc mole. Wprawdzie nie są tak atrakcyjne jak paw królowej, ale nie należy oceniać po wyglądzie. I naprawdę robią porządek w szafach. Szkoda tylko, że nie są zainteresowane włóknami sztucznymi. A te stanowią główny składnik moich ubrań. Gdzie je upchnąć? Może w Afryce, podsunął Chesus z ironią. Tam przecież wysyłamy to, co niepotrzebne. Stare komputery, zepsute komórki, przeterminowane jedzenie. „Afrika weźmie wsistko" - dodał. Tylko czy na tym polega prawdziwa pomoc?

– Nie wiem – przyznałam po prostu.

– A gdybyś spróbowała sprzedawać je w niedzielę na placu.

OMG! To jeszcze gorsze niż szkolna wymiana. Baby miętoszące moje bluzki żółtymi od nikotyny paluchami w poszukiwaniu plamki, skazy, krzywego ściegu. Znosić takie upokorzenia dla paru groszy, których zupełnie nie potrzebuję? Odpada!

– Nie mam czasu – rzuciłam, posypując kłamstewko szczyptą prawdy. – Przywalili nam tyle testów, że w weekendy nie widuję się nawet z Bondem.

To znaczy on bez przerwy przypomina, że bardzo chętnie. Jest do dyspozycji. Ale mam zbyt napięty grafik, by go wcisnąć. Aż dziw, że jeszcze nie eksplodował.

Grafik oczywiście. Bond znosi tę sytuację ze spokojem godnym prawdziwego agenta. Codziennie rano wysyła mi SMS-a, życząc miłego dnia, a wieczorem dzwoni i pyta, jak się czuję. Ciśnienie rośnie, odpowiadam. Na szczęście zawsze miałam niskie, dodaję zaraz, żeby się zbytnio nie martwił. I obiecuję solennie, że w sobotę wyskoczymy na tańce, bez precyzowania, w którą.

– Przydałoby się – stwierdził ostatnio, nieco zatroskany. – Za chwilę andrzejki, więc zarezerwowałem wejściówki do Hadesu.

Niemal pisnęłam z radości i nagle mi się przypomniało: mikołajkowe przedstawienie. Więc zaczęłam powtarzać niczym mantrę: „To tylko jedna głupia minuta". Podobno, zdaniem speców od reklamy, jeśli powtórzysz kłamstwo tysiąc razy, ludzie uwierzą.

– Ale na mnie zupełnie nie działa – zdradziłam Chesusowi. – Dalej się denerwuję. Jak cholera.

– Bo nie chodzi o minuta – wyjaśnił.

A potem dodał, że problem tkwi głębiej. Jeśli chcę poznać prawdę, muszę się zaopatrzyć w porządny świder i zrobić odwierty we własnej duszy. Chesus i jego metafory, westchnęłam, z niechęcią myśląc o wierceniu. Czy to konieczne?

– Nie ma psimus – odparł, dolewając mi herbaty. Jak zwykle zielonej. – Wiele ludzia woli zostać na płycizna.

Czyli, o ile zrozumiałam Chesusa, w czarnej dupie nieświadomości. Jest tam ciepło, bezpiecznie i niczego nie widać. Panuje ciemność absolutna. Albo, jak kto woli, ciemnota. Chyba jednak powiercę, uznałam, zapalając nocną lampkę. Powinnam spać już od godziny, ale nie mogę. Może właśnie z powodu przedstawienia? Więc dobrze, pomyślmy, czego się tak naprawdę boję? Że moje drewniane aktorstwo wyjdzie na jaw? Że ludzie z całej szkoły wytkną mnie palcami? Może by i wytknęli, ale niczego nie dostrzegą. Nie zdążą. Nie będę przecież recytować Szekspira, tylko wpadnę na scenę jak burza i narobię rabanu. A może głupio mi przed samą sobą, że nie potrafię grać? Odrobinę tak, przyznałam, poprawiając po raz setny poduszkę. Ale jak się zastanowić, na świecie jest mnóstwo fatalnych aktorów i wcale im to nie wadzi, by odbierać najlepsze role tym zdolnym. Co więcej, zyskują ogromną popularność, o czym świadczą kolorowe okładki brukowców i zjadliwe newsy na Pudelku. Więc gdybym tylko zapragnęła dołączyć... dzięki wielkie! Wystarczy mi ta jedna głupia minuta.

Blagierka

A może boli mnie, że czegoś nie potrafię, choć bardzo bym chciała. Odkrywanie własnych słabości nie jest miłe, zwłaszcza dla kogoś tak hojnie obdarzonego. Z równie imponującym potencjałem. To jak znaleźć na gładkim czole jedną malutką krostkę. Drażni, owszem, ale tylko przez chwilę. Potem się oswajam. Zresztą nigdy nie należałam do desperatek, które muszą być świetne we wszystkim. Klub perfekcjonistek to nie dla mnie. Jestem ambitna, ale bez przesady, orzekłam na głos. Więc o co chodzi? Czemu tak się boję występować? Już, już prawie do mnie dotarło, o co naprawdę chodzi, i nagle... zasnęłam. Jak niemowlę!

*

A z rana przybiegł do mnie Krejzol, żeby się pochwalić rewelacjami, które wyszperał w necie. Wcześniej oczywiście zadzwonił z pytaniem, czy może. Nie jesteśmy aż tak spoufaleni, żeby do siebie wpadać bez ostrzeżenia. To znaczy ja Krejzola nie odwiedzam. I bardzo wątpliwe, żebym kiedykolwiek zajrzała na jego osiedle. Przede wszystkim musiałby mnie zaprosić. Niestety, nie porusza tematu. Pewnie jest zbyt nieśmiały. Choć oczywiście udaje ziomala i chojraka. Dzwoni jak do siebie (trzy krótkie nerwowe ding-dong), buty zdejmuje jak w domu, a potem idzie do kuchni i od razu pyta, którą chcę herbatę. Wie nawet, gdzie leży trzcinowy cukier. I jego ulubione ciasteczka (którymi się zajada w przerwach między testami). Ja, na przykład, ciągle zapominam, która to szafka albo półka. I zanim wyłowię pojemnik, zawsze zryję pół kuchni. A Krejzol od razu namierza, jakby miał specjalny czujnik. Potem zanosi nasze kubki do bardzo dużego pokoju i zajmuje najwygodniejszy fotel. Rozsiadając się niczym zmęczony spacerem amstaff. Ale ja wiem, że to tylko pozory. Ktoś naprawdę wyluzowany nie bawi się nerwowo zamkiem bluzy i nie szarpie skórek przy kciuku.

– Co tam wyłowiłeś ciekawego?

– Na początek – odchrząknął dla dodania sobie pewności – ciekawostka dotycząca papieru. W Nowej Zelandii robią go z owczych bobków.

– Eko-sreko – podsumowałam.

– Dzięki temu oszczędza się hektary lasów – dodał, a mnie zrobiło się głupio. Bo naprawdę lubię drzewa. Nie tak jak psy, ale całkiem. Zwłaszcza topole i brzozy.

– Jakieś inne newsy? – spytałam.

– Owszem. Chodzi o torby na zakupy. Te wielokrotnego użytku są eko, dopóki ich używasz. Ale kiedy trafią na śmietnik, zalegają setki lat.

– Więc lepiej brać ze sklepu ekofoliówki. Po dwóch latach nie ma po nich śladu.

Krejzol pokręcił głową.

– Rozpadają się na pył, który zanieczyszcza wodę i powietrze. Jedyne naprawdę ekologiczne torby są robione z kukurydzy.

– Super, zaraz zamówimy! Od razu setkę, żeby nam starczyło do wiosny.

– Chyba nie warto, rozkładają się po miesiącu.

– Genialnie!

– Pozostaje pytanie, co zrobić z miliardami tych mniej genialnych toreb, które zalegają w sklepach, domach i na śmietniku.

– Można by przerabiać na pomniki – podsunęłam. – Byłyby tanie w produkcji, odporne na pleśń, korozję, kwaśne deszcze. I łatwe do demontażu w razie zmiany ekipy rządzącej.

– Nie wiem, czy to się przyjmie. Plastikowy przywódca albo święty...

– Moi wujkowie mają całą kolekcję świętych, którym można odkręcać główki i wlewać do nich wodę, niekoniecznie święconą. I nikt w całej wsi nie uważa, że to skandal.

Wręcz przeciwnie, zdaniem ciotki Klopsik kolekcja cieszy się sporym uznaniem. Zwłaszcza wśród letników, którzy przyjeżdżają na wczasy agroturystyczne. Robią świętym więcej zdjęć niż kominkowi z imitacji alabastru, co wujków niespecjalnie cieszy.

– Między figurką a pomnikiem jest pewna różnica.

– Można zastosować sztuczkę z kostką masła. Tyle że na odwrót. No wiesz, z roku na rok powiększałoby się figurki tak subtelnie, żeby ludzie niczego nie poznali.

– Przemiana w pomnik zajmie jakieś dwieście lat.

Entuzjazm rodem z Zarzecza. Ktoś mniej odporny mógłby się załamać.

– Olejmy pomniki – machnęłam ręką – i zróbmy zwykłe rzeźby. Wcześniej, rzecz jasna, trzeba by zachęcić artystów do nowych (choć starych) surowców, dając im stypendia. I podkreślając trwałość plastiku. Nie każdy obraz przetrzyma pół tysiąca lat, a rzeźba z foliówek jak najbardziej.

– Co potem?

– Konserwatorzy na pewno sobie poradzą. – Skoro udaje im się ratować Wenecję?

Zresztą może nie będzie takiej potrzeby, bo dzieła sztuki zostaną tylko na nośnikach. W realu zabraknie dla nich miejsca. Zamiast kupować obraz, będziemy go sobie wyświetlać na ścianie. Codziennie inny, to ci dopiero wybór. A obok biblioteczka. I kominek, co tydzień w nowym stylu. Ile by to rozwiązało problemów z utylizacją niepotrzebnych mebli. Albo z nudnym odkurzaniem półek. Ach właśnie, byłabym zapomniała. Przecież za godzinę dzwoni mama. Czas ogarnąć przestrzeń!

– Nachlapałem? – dopytywał Krejzol, widząc, z jaką energią przecieram ławę.

– Spoko, nic nie zrobiłeś. Muszę tylko przygotować stanowisko przed rozmową z dowództwem na uchodźstwie. Używamy kamerek.

– Też się czepiają jak moja matka? – Krejzol niemal się ucieszył, rozpoznając znajome zwyczaje.

– Wcale, po prostu... – Umilkłam, zastanawiając się, jak to wyjaśnić Krejzolowi. Sam się domyślił.

– Chcesz im pokazać, że wszystko w porzo. Gra gitarka.

– Bo gra – zapewniłam. – Świetnie sobie radzę. I nie umieram z tęsknoty.

– Nic takiego nie mówiłem.

– Mamy świetny kontakt – ciągnęłam. – I gadamy ze sobą częściej niż kiedykolwiek. Wcześniej... – Zawahałam się, czy zdradzać to Krejzolowi. No dobra, spróbuję. – Byli tak zapracowani, że rzadko ich widywałam. Tato brał dodatkowe dyżury, żeby spłacić kredyty, mama ciągle jeździła do pacjentów. Wracali tak umęczeni, że nie miałam serca zanudzać ich swoimi sprawami. No i jeszcze musieli się zajmować Dawidem. Moim młodszym brackim, który ciągle chorował. Tylko nie mów, że mnie zaniedbywali, czy coś – ostrzegłam.

– Nic nie mówię, słucham. Przewrażliwiona jesteś.

Raczej doświadczona po kilku rozmowach ze szkolnymi pedagogami, którzy załamywali ręce nad moją sytuacją. Za ich namową tato próbował ustanowić „jeden dzień TYLKO dla rodziny". Ale ordynator jego oddziału nie wykazał zrozumienia. Skupiony na własnych potrzebach, cudze miał w głębokim poważaniu.

– Dopiero po wyjeździe do Londynu zaczęliśmy mieć czas na rozmowy. Nie tylko raz w tygodniu. Ale nawet codziennie. Wystarczy, że mam jakąś sprawę. Mogę wysłać SMS-a i wieczorem oddzwaniają.

To znaczy oddzwoniliby, ale na razie nie było potrzeby ich stresować.

– Piszemy też mejle – wyliczałam dalej. – I oczywiście dostaję paczki. Więc niby są daleko, ale pod pewnymi względami bliżej niż kiedykolwiek.

– Jaki jest ten cały Londyn? – zainteresował się Krejzol.

– Ogromny, kolorowy, pełen kontrastów.

– Jakbym czytał przewodnik – skwitował. – Coś bardziej osobistego?

Na przykład już po pierwszych londyńskich wakacjach przeszła mi fascynacja Hindusami. *Wcześniej, po obejrzeniu stu dwudziestu bollywoodów, bardzo mi się podobali. Umięśnieni bruneci w kolorowych kaftanach. Egzotyka! I nagle spotkałam ich na żywo. Nie samego SRK, ale wielu innych, bo szpital, w którym pracuje mój tato, zatrudnia prawie samych Azjatów. Poza tym rodzice wynajęli mieszkanie w kamienicy należącej do kilku hinduskich rodzin, przy ulicy zamieszkanej przez Hindusów. A w sąsiedztwie same hinduskie domy. Przez dwa miesiące napatrzyłam się do przesytu. Po pierwsze, okazali się strasznie niscy. Mało który dorównywał mi wzrostem. Po drugie, niemal wszyscy nosili nudne szare garnitury. Tak sztywne, że mogłyby robić za zbroję. Ale najbardziej mnie zraził ich chłód i brak sympatii (pokrywany pierwszorzędnymi manierami). Wcześniej wyobrażałam sobie, że to ludzie przyjaźni, ciepli, otwarci, i sądząc z filmów, roztańczeni. Tacy, co to od razu zaproszą do domu na pyszne chapati, z banghra music w tle. Nie tylko nie zaproszą, wyjaśnił tato, ale też nie przyjmują zaproszeń od obcych. Czyli od ludzi, z którymi witają się codziennie rano. A niekiedy pracują razem jedenaście miesięcy w roku. „Może to zemsta za czasy kolonizacji – zastanawiała się mama po kolejnej próbie nawiązania bliższych kontaktów. – Nasi przodkowie nikogo nie kolonizowali. Sami byli gnębieni jako chłopi pańszczyźniani". Tylko wytłumacz to komuś, kto nie wychodzi poza konwencjonalne „guddejser"*. Ale nie będę opowiadać tego Krejzolowi. Zbyt osobiste.

– Najbardziej mnie uderzyła ilość wózków.

– Bogaty kraj.

– Inwalidzkich – doprecyzowałam. – U nas prawie takich nie spotykasz. A tam co drugi staruszek zapycha na wózku. Mówię ci, szok do entej.

– Tylu inwalidów?

– Też tak myślałam. Potem tato mi wyjaśnił, że to byli całkiem sprawni ludzie. Ale mogli dostać wózek niemal za free, więc skorzystali. I używają, na całego. Po roku, dwóch nie potrafią przejść do najbliższego spożywczaka.

– Lekkie życie dużo kosztuje.

Biedny Krejzol, pomyślałam. Dwie możliwości na krzyż, dlatego tak dyskredytuje cudzy dobrobyt. Co innego ja, mogę przebierać wśród ofert. I okazji. Jak w hipermarkecie, pomyślałam. Stoję wśród półek uginających się od towaru. Ale kiedy sprawdzić opakowania, okazuje się, że wszystko przyjechało z tego samego koncernu. Straszne! Nie będę o tym myśleć!

*

I nie musiałam, bo zaraz zadzwoniła przez Skype'a mama. O dziwo, wcześniej niż zwykle. Krejzol właśnie miał prysnąć na korytarz, ale nie zdążył. Przycupnął więc w rogu kanapy skulony niczym kotek. Nie wiem, jak to zrobił, ale wydawał się mniejszy o połowę. A jednak mama od razu wyczuła, że ktoś tam siedzi.

– Jest u ciebie Jarek? – spytała.

– Bond przyjdzie dopiero wieczorem. Porywa mnie na andrzejki. Do Hadesu – pochwaliłam się. – A teraz odrabiamy z kolegą zadanie domowe.

Skierowałam kamerkę w stronę Krejzola. Natychmiast odzyskał dawne rozmiary. Przywitał się specyficznym skinieniem głowy. Jakby chciał odbić nadlatującą piłkę.

– Alan Światowiec, kolega z …

– zaprzyjaźnionego technikum – dokończyłam szybko. – W ramach programu integracji międzyszkolnej mamy wykonać projekt strony.

– I jak wam idzie?

– Do przodu – odpowiedział Krejzol z energią. Najwyraźniej wczuł się w rolę. – Właśnie dopracowujemy szatę graficzną. Amelia ma niesamowite poczucie stylu i humoru. A przy tym okazuje tyle pasji.

Jeszcze chwila i coś mu zrobię! Nie bacząc na czujne oko kamerki.

– Nie znaliśmy Amelii z tej strony – zdziwiła się mama. – Miło słyszeć, że tak się angażuje.

– Alan nieco ubarwia – sprostowałam. – Mam za mało czasu, żeby się tym zająć tak, jakbym chciała naprawdę.

Blagierka

– Na pół gwizdka nie warto – przypomniała nam mama.

– Jest na trzy czwarte – odparłam, zastanawiając się, czy to prawda.

I czy chodzi tylko o brak czasu? Może ważniejszy jest brak pasji. Pytanie tylko, czy czułam ją kiedykolwiek. Nie będę o tym myśleć, orzekłam, zamykając drzwi za Krejzolem. Wolę zrobić zaległe pranie. Albo lepiej: sprawdzę profil Krejzola na Fejsie. Skoro mam już nazwisko. Światowiec, zachichotałam, pięknie się komponuje z Alanem. Zwłaszcza przez dwa „l". Ciekawe, którą wersję imienia zaprezentował na Facebooku. Chyba żadnej, skonstatowałam po chwili. Dziwne. Przecież każdy ma tu konto. To znaczy każdy, kto się liczy. Bez tego nie sposób trafić do towarzystwa. Bo i skąd ludzie mają wiedzieć, że dany koleś jest fajny. Musi się najpierw przedstawić, montując właściwy profil. Nie chodzi o to, żeby się przechwalać jak na naszej-klasie. Wręcz przeciwnie. Liczy się dystans i tak zwana blaza. Im wyższa, tym lepiej. Ja osiągnęłam górne rejestry, odpowiednio podpisując wakacyjne fotki. Zamiast rozgłaszać, że byłam w Turcji, machnęłam, niby od niechcenia: „wczasy pod gruszą". A pod zdjęciem

Morza Śródziemnego dopisałam: „Oczko wodne". Od razu widać, że się nie nakręcam byle wodą. Mam luz, którego, jak wiadomo, Krejzolowi brakuje. Może zatem lepiej, że nie założył sobie konta? Po co dawać Joszkowi kolejny powód do szyderstw? Ostatnio szuka okazji, by mi dociąć. Na razie spuszczam gostka po brzytwie, bo nie lubię się wciągać w takie zabawy. Za dużo emocji. Poza tym mam inne wyzwania. Dziś wieczorem na przykład wybieramy się z Bondem na andrzejki. I muszę się wyszykować. Peeling na twarz, maseczka na włosy. Wybrałam tę o zapachu melonów, z modnego sklepu Bodyhops. Podobno firma dba o środowisko, co podkreśla na każdej ulotce. Stosuje wyłącznie naturalne aromaty. I nie używa foliówek (przy okazji ogłaszając, że słowo reklamówka jest już passe). Kosmetyki pakuje się do papierowych torebek drukowanych farbkami wodnymi, bez dodatku metali ciężkich. Wspomniałam o tym Chesusowi w ostatni czwartek. Od razu spytał, z czego ten papier.

– Sadzą specjalnie drzewa, które potem się ścina.

Speszona umilkłam. Bo nagle mi się przypomniały praktyki myśliwych. Podkarmiają jelenie i sarny tylko po to, żeby mieć do czego strzelać.

Blagierka

– Już nie wezmę żadnej torebki – solennie sobie obiecałam.

Chesus, o dziwo, nic nie powiedział. Ale miał minę kogoś, kto traci resztki nadziei. Już wolałabym, żeby na mnie porządnie nakrzyczał. Następnym razem bardziej się postaram, postanowiłam, mierząc andrzejkowe kreacje. To jest dopiero zadanie! Zabłysnąć w tłumie, ale nikogo nie oślepić jak w sylwestra rok temu. *Bardzo chciałam wyglądać szałowo, więc odstawiłam się w stylu Lady Gagi, tyle że bez woalki (czego później żałowałam). Bond na mój widok, uniósł brwi, a następnie zapytał, czy będzie mi wygodnie tańczyć.*

– Spoko, masz do czynienia z mistrzynią salsy – odrzekłam, zapinając srebrzyste szpilki.

Kiedy weszliśmy do klubu, zrozumiałam, że nie o wygodę mu chodziło. Dookoła tańczyły zwyczajne dziewczyny, w ciuchach, które u mnie w szkole można spotkać w każdy kolorowy piątek. Tu i ówdzie mignęła asymetryczna sukienka, ale bez brokatowej posypki czy innych sylwestrowych smaczków. Poczułam się jak Marsjanka wśród ludzi. I żałowałam, że nie mam kosmicznego hełmu. Albo chociaż woalki.

Teraz już wiem, jakie to uczucie znaleźć się na szczycie... obciachu. Dlatego uważnie dobieram ciuchy, tak żeby nie odstawać od grupy ani się nie zlewać. Raczej tworzyć z tłumem udaną kompozycję, niczym wisienka zdobiąca czekoladowy torcik. Więc co powinnam założyć na andrzejki? Nic nowoczesnego, uznałam, odkładając błyszczące getry. Te pasują do nowoczesnych imprez, takich jak melanż z okazji Dnia bez Papierosa. Staromodne andrzejki wymagają oldskulowej oprawy. Na przykład sukienki vintage, z bufkami, śmiesznym kołnierzykiem bebe, w odcieniu magicznego fioletu (jak napisano na metce). Do tego fryzura retro, czyli wysoko upięty koński ogon (ładnie się prezentuje podczas jive'a). I niewidoczny makijaż. Nie mylić z brakiem makijażu. Ten pierwszy wymaga dobrych korektorów, kamuflaży i pudru. Oraz dwóch godzin spędzonych w bardzo jasno oświetlonej łazience. Przyglądanie się własnym porom z tak bliska bywa stresujące. Ale efekt końcowy powala nawet Bonda.

– Nie ma to jak naturalny wygląd – powtarza.

A ja tylko się uśmiecham. Dziewczyna agenta nie musi zdradzać swoich sztuczek.

*

Blagierka

To były odjechane andrzejki. Pod wieloma względami. Po pierwsze, oszołomiłam niemal wszystkich kumpli Bonda. Wyglądem, tańcem i szeroko pojętym luzem.

– Trudno uwierzyć, że masz dopiero osiemnaście lat – powtarzał Szymon, ten najbardziej urzeczony.

– Niecałe – podkreśliłam, bawiąc się kosmykiem włosów.

Na ogół wolę mówić, że jestem dorosła. Ale w pewnych kręgach wcale się tego nie ceni, wręcz przeciwnie. Na przykład podczas promocji tomiku „Wypociny", na które zabrał mnie Bond, recenzenci piali z zachwytu, że autorką jest gimnazjalistka. Też mi cud, pomyślałam, pisać wiersze w tym wieku. Postanowiłam jednak nie komentować na głos. Jeszcze by uznano, że zazdroszczę komuś tak wcześnie wypoconego sukcesu.

– Niecałe? – zdziwił się drugi kumpel Bonda. – Wyglądasz co najmniej na dwadzieścia.

Aż na dwadzieścia! No proszę! To pewnie dzięki właściwej postawie.

– Stary, skąd ty ją wytrzasnąłeś – koleś dziwił się dalej – przecież kiedy byłeś z nami na roku, nie umiałeś nawet...

Bond natychmiast porwał mnie do tańca, mówiąc, że nie warto tracić czasu z podpitymi nudziarzami. Poszaleliśmy chyba z godzinę, potem przeszliśmy do małej sali, gdzie można było sobie powróżyć. Jako nowoczesna dziewczyna nie wierzę w żadne cuda-wianki, ale mogę się powygłupiać. W końcu co mi szkodzi, prawda? Więc kiedy wróżka spytała, kto następny, lekko pomachałam w jej stronę. Zaprosiła mnie na fotel. Usiadłam naprzeciwko, śląc wzorcowy uśmiech z „ABC języka ciała" (rozdział poświęcony minom pokojowym). Wybrałam minę numer siedem, zdaniem ekspertów z „Miastówki" topi lody, nawet na Syberii. Ale chyba nie w Hadesie, stwierdziłam, widząc zaciśnięte usta wróżki.

– Księżniczka – syknęła, wbijając we mnie wzrok. – Nic dziwnego, że musi mieć pierwszorzędną ochronę.

Czy to moja wina, że spotykam się z Bondem? Połączyła nas wypasiona pizza z rukolą. Albo, jak kto woli, przeznaczenie.

– Będziemy wróżyć z kart czy z ręki? – ponagliłam ją.

– Będziemy? – Wróżka zarechotała, ukazując imponującą klawiaturę śnieżnobiałych zębów.

Blagierka

Dziwne, zawsze wyobrażałam sobie, że osoby tej profesji omijają dentystów bardzo szerokim łukiem. Jeśli któraś trafi na fotel to tylko po to, by zamontować sobie złote koronki. A tu proszę, uśmiech, jakiego nie powstydziłaby się Jessica Biel.

– Będziemy! A to dobre!

– Pani będzie – przyznałam wreszcie.

– Karty niepotrzebne – orzekła. – Wystarczy mi duży palec lewej dłoni. Tej od serca.

Ciekawe, co z niego wyssie, pomyślałam nie bez złośliwości, wysuwając kciuk, niczym autostopowiczka gotowa do wyprawy w nieznane. Wróżka długą chwilę skanowała opuszek, wreszcie zaczęła... śpiewać. Potwornie fałszując.

– „Mieszkam w wysokiej wieży, ona mnie obroni. Nie walczę (...) z nikim, nie walczę… już o nic. Palą się na stosie moje ideały. Jutro będę duży, dzisiaj jestem mały".

– Może teraz coś na mój temat – zaproponowałam lekko znudzonym tonem.

– Spryciara – pochwaliła, wracając do mruczanki: „Stawiam świat na głowie, do góry nogami. Na odwrót i wspak bawię się słowami".

Skąd ona wie, że umiem pisać w lustrzanym odbiciu? Nastąpiły niepokojące przecieki.

– Co chciałabyś poznać? – spytała nagle.

Najłatwiej powiedzieć, że prawdę. Ale czy równie łatwo ją przyjąć?

– Może o magicznej przemianie – podsunęła.

– Przemianie?

– Emalii w złoto. Chciałoby się powiedzieć szczere... – Umilkła, chytrze mrużąc oczy.

W odpowiedzi poruszyłam kciukiem.

– Widać tam coś jeszcze? Czy potrzebuje pani lunety?

Przestała się uśmiechać.

– Wiedziesz bajkowe życie – szepnęła.

Troszkę przesadza, ale nie będę narzekać.

– Jest w porządku – przyznałam. – Niczego mi nie brakuje.

– Bajkowe – powtórzyła z dziwną goryczą. – Ale już wkrótce się obudzisz, księżniczko. Na tym polega dorosłość: bajka się kończy. Człowiek spada z wysokiej wieży.

Zachichotałam, bo nagle przypomniała mi się maksyma wujka Wąsa. Kiedy ma artystom wypłacić zaległe honoraria, powtarza ciężko wzdychając: „Życie to nie je bajka".

– Śmiej się, póki możesz. Bo potem będzie bolało – ostrzegła wróżka.

– Może coś pozytywnego na koniec? – spytałam, podnosząc się z fotela. – Że zdam świetnie maturę i przyjmą mnie na dziennikarstwo...

– A skąd niby mam to wiedzieć? – burknęła.

– Myślałam, że wróżkę obowiązują jakieś standardy...

– Jasno widzę tylko to, co nieuniknione. Co niesie nam los. Albo inni ludzie, zwłaszcza ci najbliżsi.

To, co nieuniknione? Przez chwilę pożałowałam, że dałam się skusić na tę zabawę. Ale kto się spodziewał, że zamiast opowiadać o brunecie wieczorową porą, wróżka będzie mnie straszyć bajkami o spadaniu z wysokiej wieży. Całe szczęście, że nie mam lęku wysokości jak Kama.

– Martwisz się czymś? – usłyszałam nagle Bonda.

Mogłabym zaprzeczyć, ale nie należy przesadzać ze ściemnianiem. Ludzie przestają nam wierzyć i klapa. Dlatego postanowiłam zastosować swoją ulubioną grę w słówka.

– Wróżka wyśpiewała mi to i owo – zdradziłam.

– Naprawdę? – przejął się Bond.

– Niestety fałszowała tak, że nie wiem, co jest prawdą.

– Wspomniała o mnie?

– Na wstępie orzekła, że jesteś pierwszorzędnym ochroniarzem. Czyli po mojemu superagentem – dodałam z kokietującym uśmiechem.

Bond lekko się skrzywił. No tak, zapomniałam, że woli dyskrecję. By go uspokoić, natychmiast przyłożyłam palec do ust. A potem pociągnęłam go na parkiet. W końcu mamy andrzejki, trzeba się bawić. Na całego!

Po północy wyszliśmy do domu, choć chętnie zostałabym dłużej. Bond jednak stwierdził, że wystarczy tych pląsów. A tak naprawdę był zazdrosny o Szymona. Nic dziwnego, koleś naprawdę się przykleił. Co chwilę wyrywał mnie do tańca, fundował soki, nawet zamówił u DJ-a piosenkę Lady Gagi, „Paparazzi", bo wspomniałam, że lubię. I ciągle nie mógł się nadziwić, co widzę w Bondzie. Ja też do końca nie wiem, po prostu świetnie się razem bawimy. Wspólne koncerty, imprezy, wypady za miasto. Czasami pomaga mi w matmie albo przyszyje guzik. Czegóż chcieć więcej, szepnęłam, tuląc się do Bonda. Staliśmy właśnie przed moim blokiem, nie mogąc się rozstać jak zwykle po udanej imprezie.

– Chciałbym ci coś powiedzieć – Bond wyszeptał nagle, przejęty. – To bardzo ważne i mogłoby sporo zmienić...

Co może być tak ważnego? Oświadczyny? Nie za wcześnie? Ja wiem, że Bond traktuje życie poważnie. Ale ja nie jestem gotowa na takie deklaracje. Nie przed maturą i nie pod czujnym uchem Czesławy Pyton (kryptonim: Naftalina), upierdliwej sąsiadki z parteru. Może kiedyś się zaręczę. Jak już naprawdę dorosnę. Skończę studia, znajdę pracę, objadę pół świata i przede wszystkim będę zakochana. Wtedy tak. Ale nie teraz! Dlatego muszę działać, zanim Bond zabrnie za daleko.

– Możesz u mnie zostać, spoko – rzuciłam, szukając kluczy. – Już ci to proponowałam. Kilka razy.

Bond cicho westchnął. W tej sytuacji mogłam tylko jedno: nawijać jak szalona.

– Ja wiem, że to doniosła chwila, ale nie musisz robić takiej poważnej miny. Nie jesteśmy na uroczystości państwowej.

– Chyba jednak wrócę do akademika – bąknął, zmęczonym głosem. – Mam jutro masę pracy.

Nie zapytałam jakiej. Pocałowałam go tylko na dobranoc i pognałam do góry. Na paluszkach, żeby nie budzić Pytona. Kiedy znalazłam się u siebie w kuchni, odetchnęłam z ulgą. Jakby udało mi się umknąć... czy raczej odroczyć trudny egzamin. Kiedyś jednak będę musiała stawić mu czoła. Ważne, że nie teraz.

*

Niedziela przepłynęła niepostrzeżenie, ale przed snem dostałam nakrętki. Z powodu zbliżającego się występu. I poniedziałkowej próby. Będzie się działo, mruknęłam, wizualizując scenę ucieczki przed ogromną kulą. Niczym z „Indiany Jonesa". Tyle że bez happy endu. Mnie kula dopadnie i wgniecie w błotnistą... dosyć, warknęłam, zrywając się z łóżka. Muszę coś zrobić, inaczej nie zasnę do rana. Odwierty? Może potem. Najpierw wypróbuję patent Aleks. Podobno bardzo skuteczny. I sprowadza się do jednej prostej zasady: „Jeśli bolą cię zęby, uderz się w łokieć. Z całej siły". Co tam jakaś durna sztuka, powtarzałam, tłukąc pięścią niesforną poduchę, przy zaległościach, które mi się nazbierały w bardzo dużym pokoju. Testy z matmy, streszczenia lektur (nie lubię korzystać z cudzych bryków – są nudniejsze niż opisy przyrody w „Nad Niemnem"), eseje z hiszpańskiego. Eseje to pryszcz, powinnam odświeżyć całe subjuntivo, bo leży i rdzewieje od wiosny. Przydałoby się także odebrać ekospodnie od krawcowej, a przy okazji... jeszcze chwila i zasnę na stojąco. Może na tym polega moc patentu. Ale do mnie nie przemawia. Chcę zasnąć we własnym łóżku. Leżąc na wznak, jak lubię! A skoro nie mogę, wolę dopisać zaległe notki na ekostronę. Na przykład na temat jajek. Zerówek. *Znalazłam takie w Delikatesach, już miałam kupić i nagle widzę, że tuż obok leżą okropne trójki... od Czahora, tego samego producenta. To znaczy, że na jednej fermie kury są różnie traktowane, pomyślałam, odkładając jaja na półkę. Ciekawe, jak wygląda proces selekcji. Hodowca siada przed stadkiem kurcząt i wskazuje paluchem, które ma trafić do drucianej klatki? A może karze więzieniem te najbardziej pyskate? Powinnam wysłać do niego mejl, przy okazji pytając, co robi ze starymi ekokurami. Bo mam pewne obawy, że zmieniają się w ekokarmę dla swoich młodszych koleżanek.*

Machnęłam notkę w trymiga, opatrzyłam ją tytułem „Przejaja", a potem zerknęłam na poprzednie. Całkiem, całkiem, uznałam. Napisane dowcipnie i z pazurem. Lekko przypiłowanym, jak stwierdził Krejzol po lekturze ostatniej. Miałam ochotę się odgryźć i dla odmiany poszydzić z jego wpisów. Ale w ten sposób okazałabym, że mnie uraził. A przecież, jak powszechnie wiadomo, mam dystans. Do krytyki także. Poza tym głupio szydzić z kogoś, kto odwala za mnie większość prac przy stronie. I to sam, bez przymuszania. Widząc, jaki mam młyn, oznajmił niedawno, że przez kilka tygodni on zadba o stronę. Widząc moją zdziwioną minę, szybko dodał:

– Potraktuj to jako zwrot długu. Za bluzę.

A ja sądziłam, że to wczesny mikołajkowy prezent. Trudno, nie każdy ceni tradycję. Ważne, że się Krejzol zaangażował i nawet jeśli (w porównaniu do mnie) pisze nieco przyciężko oraz zbyt często porusza temat odchodów, ważne, że widać postępy. Magister Lotos może odetchnąć z ulgą. I odetchnie, jak już sobie przypomni o naszej stronie. Bo na razie jest przejęta występem. Pewnie z nerwów ogryza kolejny ołówek. Aż do grafitowej kości. Chyba że zastosowała którąś z technik relaksacyjnych. Wszak jest specjalistą. Gorzej ze mną, szepnęłam. Jeśli czegoś nie wymyślę, mój wizerunek, szlifowany od gimnazjum, rozsypie się w drobny pył. Nowego nie zdążę już wykroić, nie przed maturą. Cholerka. Co się ze mną dzieje! Żeby tak się zamartwiać bzdurami? Przecież to tylko mikrorólka, szepnęłam. No właśnie, polegnę przy dupereli. Równie dobrze mógłabym się dać zabić mrówce faraona. Może tu tkwi powód, pomyślałam nagle. Boję się przegrać z powodu... cukierka. Jak kiedyś, w podstawówce. *Zaczęło się od tego, że źle powiedziałam swoje imię, i nosiłam nie taki tornister. Czasem to wystarczy. A potem do naszej klasy przyszedł...* Nie będę tego wspominać! Było, minęło, sto lat temu. Teraz jestem Paris. Co oznacza, że dam radę każdej kuli, powtarzałam nazajutrz, podczas próby. Kiedy nadeszła moja kolej, bez zająknięcia wyrecytowałam cztery zdania, odczekałam cztery sekundy. I zrobiłam porządek. Lub, jak kto woli, bajzel.

– Po sprawie – oznajmiłam wszystkim, dmuchnąwszy w wylot straszaka.

– Nawet nie poczułem – kpił Joszko, podnosząc się z podłogi.

Ostatnio okazujemy sobie jeszcze mniej sympatii niż zwykle. Innymi słowy, nie przepuszczamy okazji, żeby sobie dokopać. Joszko, na przykład, stale przypomina, że dostałam tak niewielką rólkę. Biduś myśli, że tym przejmuję się najbardziej. Ja natomiast szydzę z tych marmurów, na które usiłował mnie poderwać.

Kiedy do Gołębnika wchodzi nieznajoma dziewczyna, pozwalam sobie na niewinną uwagę, wypowiedzianą z miłym uśmiechem.

– Patrz, Joszko, nowa szansa na sukces. Spytaj, czy lubi marmur. Może woli lastriko.

Wszyscy chichoczą, niby dyskretnie, ale wiadomo. Kolejny punkt dla mnie. Na razie jest piętnaście do czterech, choć pewnie Joszkowa lista rozgrywek wygląda inaczej. Ale prowadzę ja, nie ma co do tego żadnych wątpliwości.

*

Czasem jednak zdarzają się niespodzianki. Siedzieliśmy właśnie na długiej przerwie, omawiając sprawę dekoracji. Z czego je wyciąć i kto ma to zrobić. Kama optowała za styropianem, bo jest lekki, tani jak barszcz i łatwo go pomalować.

– Rozkłada się równie długo co jednorazówki – przypomniałam. – Lepiej użyjmy tekturowych pudeł. To będzie prawdziwy recykling.

– Nie za dużo tej zieleni? – Joszko udawał, że ziewa. W ten sposób pokazujemy rywalowi, że już ździebko nudzi. – Ja w każdym razie głosuję za styropianem.

– Więc jednak nie marmury? – zakpiłam. – Cóż za zmiana.

– Dopada każdego – wycedził Joszko. – Ty, na przykład, kiedyś lubiłaś Czajniki made in Zarzecze. A teraz proszę, romansujesz z Bondem.

Słysząc słowo „Czajnik", podziękowałam samej sobie, że chciało mi się nałożyć fluid. Dzięki temu nie widać było, że zbladłam. Jak niesławne marmury Joszka.

– Zazdrosny? – rzuciłam, lekko się uśmiechając. Ale nie było mi do śmiechu. Czułam, że lada chwila ktoś zacznie wypytywać. No i proszę! Nie mówiłam?

– O co chodzi z tym czajnikiem? – zainteresowała się Kama.

– Niech wam Paris opowie – drażnił się Joszko. – Choć może już nie pamięta. W końcu to bardzo dawne dzieje. Można by rzec z epoki emalii... lub, jak kto woli, kamienia łupanego.

Jak się dowiedział? Od kogo? Przecież nie mieszkam na tamtym osiedlu wieki całe. To znaczy ponad cztery lata. Nie spotykam dawnych znajomych, nikt ze starej szkoły nie trafił do mojego liceum, więc jakim cudem... rozmyślałam gorączkowo, starając się nie okazywać, że zostałam znokautowana. Jednym ciosem!

– Kim był czajnik? – dopytywały siostry Brönte, węsząc w powietrzu romantyczną historię.

Mogłabym sklecić na poczekaniu coś ckliwego. Albo wyśmiać Joszka, mówiąc, że sieje kłamliwe plotki. I zażądać dowodów. Dowiedziałabym się wtedy, kto jest informatorem. Nagle zrozumiałam, że mogę zrobić tylko jedno. Przez wzgląd na przeszłość.

– Czajnik był moim przyjacielem.

Zapadła cisza. Nic dziwnego, na ogół unikamy podobnych deklaracji. Jeśli przedstawiam kumpelę, mówię z ironią: „To jest my best friend forever". I wszystko jasne. Słowo przyjaciel właściwie nie pada, bo i nie ma ku temu powodów. Więc kiedy go użyłam, nie musiałam niczego dodawać. Ale dodałam.

– Chodziliśmy do jednej klasy. Potem zmienił szkołę. To wszystko.

Nikt nie odezwał się słowem. Nie padły żadne pytania. Pierwsza przełamała ciszę Kama, odstawiając szklankę po soku.

– Może jednak użyjmy tektury – bąknęła.

Sprzeciwów nie było. Wygląda na to, że sprawa jest zamknięta. Kama ma u mnie cały zapas ekologicznych lizaków (barwionych naturalnie burakiem). Za to

Blagierka

Joszkowi będę musiała pokazać, czym grozi zaglądanie do cudzego składzika.

*

I pokazałam, w niecałą minutę. Ale choć od przedstawienia minęły dwa dni, nadal nie mogę ochłonąć. Może dlatego, że nie lubię tak skrajnych emocji. W przeciwieństwie do Elektryny. Ostatnio wyznała w „Miastówce", że kocha albo nienawidzi. Nie uznaje stanów pośrednich. Już sobie wyobrażam, jak szaleje u fryzjera. Albo w bibliotece. Nie, tam na pewno nie zagląda. W każdym razie bardzo sobie komplikuje życie. Ja tam wolę starą poczciwą sympatię. Albo z braku takowej chłodną obojętność. A jednak dałam się wciągnąć Joszkowi, traktując go jak sparingpartnera. Dopiero sięgając po Czajnika, uświadomił mi, że to prawdziwa walka. Postanowiłam ją zakończyć raz na zawsze. Jak? Nie wiedziałam, samo wyszło. Podczas „Śniegowej kuli".

Do połowy przedstawienia wszystko toczyło się zgodnie ze skryptem miętoszonym przez magister Lotos. Najbardziej przejętego reżysera w Europie Środkowej. W czterdziestej minucie wtargnęłam na scenę, z impetem trzaskając tekturowymi drzwiami. Aż odpadły od futryny zrobionej ze sklejki. Rozległy się chichoty. I zamarły, kiedy tylko wyjęłam straszak pożyczony od magister Lotos i celując w widownię, ryknęłam: „Koniec zabawy!". Energicznie podeszłam do Joszka, chwyciłam go za krawat i z furią wysyczałam, że przyszedł czas zapłaty.

– Zawsze marzyłeś o marmurach – ciągnęłam. – Ale żona wybrała granit. Będziesz miał mnóstwo czasu, żeby się przyzwyczaić.

Joszko zbladł. Tego nie było w żadnym scenariuszu!

– Lecz zanim zaczniesz próby dopasowania – wycedziłam przez zęby – popatrz sobie, jak kończą twoi kolesie.

Wycelowałam w opryszka granego przez Aleks. I paf! Rozległ się huk. Aleks chwyciła się za serce i padła jak długa. Strzeliłam znowu, kładąc na miejscu dwóch mafiozów. Jednym ślepym nabojem! Tego nie potrafi nawet prawdziwy Bond, pomyślałam, celując w Joszka. Białego teraz niczym najszlachetniejszy alabaster. Nacisnęłam spust. Cisza. Jeszcze raz i znowu. Nic! Co teraz? Będę improwizować, postanowiłam, łapiąc ze stołu cyrkiel. Ledwo się zamachnęłam, Joszko poleciał w tył, zemdlony. Rozległy się brawa.

– Rzęsiste. Ludzie myśleli, że Joszko to odegrał – relacjonowałam Chesusowi. – Ale ja znam prawdę. I trzymam go w szachu.

– Ty zna prawda. On zna prawda, dlatego boi.

– Przecież mówię.

– Ale on zna inna prawda, groźna. Prawda o Paris.

Zaraz, zaraz, co niby Chesus insynuuje? Że jestem taka niebezpieczna? Bzdura!

– Przecież nawet go nie ukłułam. I wcale nie chciałam – tłumaczyłam Chesusowi. Choć może by się przydało, za Czajnika.

– Ukłucie to nic! – odparł Chesus. – On widział więcej. Prawdziwa Paris. Paris bez masek.

Niewyretuszowana. Sauté. Bez panierki. Szczerze mówiąc, też bym się takiej bała.

*

Na szczęście spotkania twarzą w twarz prawie nam nie grożą, pomyślałam, rozglądając się za ulubionym bronzerem. Za chwilę będzie u mnie Krejzol i powinnam jakoś wyglądać. Lepiej niż zwykle, będziemy przecież świętowali mój wielki mały występ. Czy raczej ostateczne pożegnanie ze sceną. O czym Krejzol właściwie jeszcze nie wie, nie chciałam go wypłoszyć. Tak naprawdę miałam się dziś bawić z Bondem. Zamówiłam w Kretesie sałatkę jajeczną „gwarantującą najwyższe doznania smakowe" oraz dwa ciasta dla wybrednych. Niestety, Bond odmówił degustacji, tłumacząc, że wpadł tylko na chwilę. A poza tym ostatnio nie ma „głowy do jedzenia". Głowy? Sądziłam, że do tego wystarczy sprawny układ trawienny. I w miarę mocne zęby.

– Jest aż tak zajęta? – spytałam ostrożnie, nastawiając czajnik.

– Od trzech tygodni biegam po uczelni. Od sekretarki do dziekana. Zbieram pieczątki, wpisy zaległe, uzupełniam obiegówkę, że książki oddane. Za tydzień obrona – wtrącił od niechcenia.

Za tydzień? Przecież niedawno Bond był w połowie pracy. Niedawno, czyli w październiku. Rany, alež się zagapiłam! Wszystko przez to, że jestem w maturalnej klasie. Ciągłe testy, sprawdziany, jeszcze ten ekoprojekt, a ostatnio mikołajkowa sztuka. Kiedy człowiek ma tyle własnych spraw, tyle kłopotów i nowych obowiązków, wtedy... łatwo zapomina o cudzych, dokończyłam z przykrością. Niestety, takie są fakty, Paris. Skupiona na sobie, zapomniałaś o Bondzie. Zupełnie.

– Na pewno sobie poradzisz – bąknęłam, starając się ukryć zakłopotanie. – W końcu kto jak nie ty?

Nagle uświadomiłam sobie, że właściwie nie wiem, jakim studentem był Bond. Szymon wspomniał, że studiował dwa fakultety. I że pisał innym prace. Więc chyba miał smykałkę. Powinnam zapytać, ale wolę, kiedy ludzie mówią sami, bez dociskania. A Bond rzadko coś opowiadał, raczej wypytywał o moje sprawy. Zresztą niedużo rozmawialiśmy, nie było kiedy. Bo ciągle gdzieś wychodziliśmy. Trudno poruszać poważne tematy podczas salsy. Kiedyś latem spytałam go o sesję. Bond odparł, że spoko. Tylko co to oznacza? Że miał same piątki w indeksie? Że podchodził do egzaminów na luzie? A może nie chciał mnie zamęczać swoimi sprawami?

– Poradzisz sobie – powtórzyłam z przekonaniem.

Tak naprawdę powinnam zapytać: „Jak sobie radziłeś przez ostatnie tygodnie?". Powinnam, ale nie potrafię, brak mi wprawy. Gdybym wcześniej okazywała Bondowi więcej uwagi... Zawsze mogę to zmienić, pomyślałam. Zawsze, to znaczy dziś już nie. Bond wyszedł przed kwadransem, nawet nie dopijając swojej ulubionej herbaty o smaku martini. Wyszedł i nie umówił się na niedzielę. Niesłychane! W progu bąknął tylko, że zadzwoni, jak „będzie po wszystkim". Po wszystkim? Brzmi trochę dziwnie, uznałam, sięgając po koc. Bo nagle zrobiło się chłodno. W całym mieszkaniu. Chłodno i stanowczo zbyt cicho. Jak przed burzą. Nie, dosyć tego! Nie będę się nakręcać. Nie w sobotni wieczór, kiedy wszyscy szykują się do superimprezy. Ja też będę się bawiła. Na całego. Tylko z kim? Chesus od wczoraj szlifuje odezwę do braci Katalończyków, Bond wiadomo. Pewnie tropi michałki w indeksie (wolę nie myśleć, że robi coś innego). A moja ekipa? Wystarczą mi bardzo długie przerwy w Gołębniku. Więc Krejzol, postanowiłam, od razu wystukując jego numer, zanim się rozmyślę.

– Stało się coś? – spytał, kiedy już mu wyłuszczyłam propozycję nie do odrzucenia.

– Nie, tylko...

Czuję dziwny chłód. I pustkę. Tak ogromną, że za chwilę mnie wciągnie.

– Podłubalibyśmy przy stronie. A poza tym mam w lodówce kilka frykasów do przetestowania.

Nie dał się długo prosić. Dotarł w ciągu godziny. Zaraz poczęstowałam go sernikiem dla wybrednych. Krejzol wymęczył kawałek i spytał, czy sama piekłam.

– Sprawia takie wrażenie – odparłam, przełknąwszy swoją porcję. – Ale to robota specjalistów z Kretesu. Skusił mnie opis na ulotce – zacytowałam: – „Sernik królewski w welonie z cytrynowych bez, który hrabina Podolska serwowała paniom z socjety podczas słynnych majówek nad Rzeką".

– Nie rozpieszczała gości – mruknął Krejzol. – Piernik sobie daruję. Wygląda jak cegła.

– Upieczono go według receptury hrabiego Małeckiego, z domu Snopek.

– Hrabia musiał mieć mocne zęby – skwitował, odnosząc talerzyk do zlewu.

Zaczął myć naczynia, jak zwykle. Choć proszę go, żeby dał spokój. Ja to zrobię, wieczorem, powtarzam, ale Krejzol nigdy mnie nie słucha. Mówi, że taki ma nawyk z domu. Dla mnie to raczej nerwica natręctw. Żeby zaraz po jedzeniu szorować do zlewu?

– Nie jest dobrze ze stroną – stwierdził nagle Krejzol, zakręcając kran.

– Znowu nie działa?

– Można tak to ująć. – Usiadł obok i przez chwilę milczał, wycierając mokre paluchy o swoje podrabiane dżinsy. – Mamy żałosną oglądalność. Sprawdzam codziennie. I ciągle spada. Wczoraj odwiedziły nas dwadzieścia dwie osoby.

To nawet mniej niż liczba uczniów w naszej klasie! Porażka na całej linii.

– Licznik wejść jest jawny? – spytałam, usiłując zachować spokój.

– Tylko my znamy dane.

To już coś, pomyślałam, biorąc głęboki oddech. Teraz trzeba się zastanowić nad przyczynami marnej frekwencji. Na pewno da się to racjonalnie wytłumaczyć!

– Początki bywają trudne – oświadczyłam. – Nawet seriale muszą powalczyć o widownię. Zanim zdobędą fanów, mija kilka odcinków.

– W pierwszym tygodniu mieliśmy trzysta odwiedzin dziennie – zauważył Krejzol. – A potem zaczęło spadać, na łeb na szyję.

– Mikołajki generują szał konsumpcji – wyliczałam dalej. – Ludzie wolą przeczesywać witryny sklepów, niż czytać o ekologii.

– Mikołajki były trzy dni temu. I o dziwo odwiedziło nas wtedy dwa razy więcej ludzi.

– No to trzeba było dać groszkowe tło – mruknęłam, zrezygnowana.

Ale tak naprawdę oboje wiemy, że nie chodzi ani o kolor, ani o inne, jakby to ująć, „fistaszki". Naszej stronie zwyczajnie brakuje kopa. Jest dopracowana, miła dla oka, łatwa w odbiorze, ale… absolutnie bezpłciowa. Wystarczy zajrzeć na nią raz, żeby mieć dosyć.

– Ważne, że się wywiązaliśmy z zadania – orzekłam wreszcie. – Kto inny by je olał albo sklecił na odwal się, a my...

– Wywiązaliśmy się – powtórzył Krejzol.

Czułam się jednak nietęgo. Mieliśmy przecież rozkręcić coś WIELKIEGO! Coś, co kompletnie zaskoczy moją klasę. A przy okazji zawładnie duszami milionów. Porwie je do działania. Może nawet zmieni świat. Taki był plan. A w praktyce – dwadzieścia dwie osoby dziennie. Słowem, porażka. Magister Lotos stale powtarza, że nic bardziej człowieka nie rozwija. Ja jednak wolałabym się uczyć na sukcesach.

– Liczyłam na to, że dotrzemy do tłumów – przyznałam z ręką na piersi. – Mimo konkurencji w postaci Facebooka, Simsów i seriali. Byłam naiwna.

Krejzol, zdumiony, podniósł głowę. Takie wyznanie z ust takiej osoby?

– Ale dopiero teraz zrozumiałam, że nie chodzi o pobijanie rekordów. Nie robimy tej strony dla dzikich tłumów ani nawet dla mojej klasy, tylko...

– No właśnie, dla kogo?

*

Strasznie mnie tym pytaniem zirytował. Niech sam się zastanawia, ja mam dziś o czym myśleć. Na przykład muszę znaleźć ekologiczny sposób utylizacji wypieków z Kretesu. Sikorki cegły nie ruszą, wolą słonecznik, a kaczki – tego im nie zrobię. Wystarczy, że inni faszerują je spleśniałym chlebem. Może zainwestuję w ładny karton, zrobię zgrabną paczuszkę i podłożę pod drzwiami Czesławie Pyton, sąsiadce z parteru. Dodam karteczkę: „Od Mikołaja". A nuż, widelec się skusi. A jeśli wyczai, że to ode mnie, uzna za głupi kawał i naśle sanepid? Nie, wcale się nie nakręcam. Po prostu wiem, do czego zdolne są Pytony. Dlatego „mikołaja" nie będzie. Już wolę użyć sernika jako nawozu na klombie albo... i właśnie wtedy zadzwonili do mnie wujostwo, informując, że wpadną „na herbatkę". A potem spytali, czy to nie kłopot. W innej sytuacji musiałabym się mocno wysilać, żeby ukryć zdziwienie. No bo kto pokonuje trzysta kilometrów marnych dróg tylko po to, by wypić herbatę z przyszywaną siostrzenicą? Na pewno nie wujek Klopsik. Żal mu jechać autem do sąsiedniej wsi, gdzie mieszka jego rodzona siostra. Ale patrząc na straszydła z Kretesu, wyszczebiotałam słodkim głosem.

– Nie mogliście trafić lepiej. Czekamy z niecierpliwością.

Zwłaszcza sernik. Już po przyniesieniu ze sklepu wyglądał marnie, a dziś ledwo się bidok kupy trzyma. Na szczęście wujek Klopsik jest ponoć wszystkożerny. Przynajmniej tak powtarza na imprezach rodzinnych. *Podczas ostatniego grilla nie bez dumy ogłosił, że chętnie by spróbował pieczonego shar pei. Albo gulaszu z młodego kota.*

– Chińczyki jedzą, to ja nie mogę? – zadał pytanie, które wszyscy goście potraktowali stosownym milczeniem. Wszyscy poza jedną osobą.

– Co tam shar pei – prychnęłam. – Niech wujek spróbuje zjeść kupę. To jest dopiero wyzwanie.

– Jezuchryste! – Ciotka Klopsikowa chwyciła się za policzki. – Takie świństwa przy jedzeniu proponować.

Kto inny może by się zawstydził, ale nie ja.

– Skoro wujek jest wszystkożerny, da chyba radę małemu balaskowi...

Od tej pory się nie widzieliśmy; na następnego grilla nie zostałam zaproszona. Teraz wreszcie mam okazję poczęstować ich czymś stosownym. Będę namawiać równie gorąco jak ciotka Klopsik, dokładając kolejne bryły ciasta. Jaka gościnna, ironizowałby Chesus. I miałby sporo racji. Tak się przyzwyczaiłam do życia w pojedynkę, że kiedy ktoś włazi na mój teren, stawiam opór. Tym bardziej, że wizytę złożą osoby, za którymi nie przepadam. To nie są ludzie z mojej bajki. Ciocia, na przykład, przypomina meduzę. Niby ledwo widoczna, na pozór miękka i niegroźna, ale potrafi dopiec jak cholera. Za to wujek należy do grupy facetów, którzy znają się na wszystkim. Na budowie promu kosmicznego, na przeszczepach wątroby i strukturach mafijnych. Gdyby tylko mu się chciało, mógłby zaradzić globalnemu ociepleniu, kryzysowi euro i słabej kondycji polskich piłkarzy. Taki specu potrzebuje wyzwań, pomyślałam złośliwie. Przy okazji sprawdzimy, czy jest naprawdę wszystkożerny.

*

Okazało się, że tak! Ale i ciotka ma spory potencjał. Nawet nie musiałam namawiać, żeby wzięła dokładkę. Po spałaszowaniu trzech kawałków serowego straszydła, dokroiła sobie piernika. Mówiąc, że nawet, nawet. Już prawie się ucieszyłam z niespodziewanego komplementu i wtedy nastąpiło pierwsze leciutkie oparzenie.

– Na pewno sama nie piekłaś – orzekła z pełnymi ustami. – Od razu poznać.

– A po czym?

– Byś inaczej wyglądała. Zdrowo. – Nakreśliła w powietrzu kształt kontrabasu. – A faceci nie lubią takich chudych – zdradziła starą ludową mądrość, która nadal budzi lęk wielu kobiet, w każdym wieku.

– Nie lubią – potwierdził wujek. – Chłop jest jak pies. Na byle kości się nie rzuci.

Powinien odwiedzić jakiś azyl. Ale nie będę tego proponować człowiekowi, który młóci wszystko. Jeszcze mógłby nabrać apetytu na jakiegoś kundelka.

– Rozumiem, że na Monikę się rzucają – skwitowałam. Uznano to za komplement.

– Musieliśmy aż odganiać – pochwaliła się ciotka. – Na szczęście Damian się określił i będzie latem weselisko.

– Dlatego tu jesteśmy. Żeby doręczyć zaproszenie. Osobiście, jak się należy.

– A ty masz kogoś? – uderzyła ciotka znienacka. – Bo ja w twoim wieku gromadziłam już wyprawkę i sprzęt AGD.

– Stare czasy – odparłam, dokładając wujkowi piernika. – Dziś wystarczy jeden sobotni wypad do supermarketu i po sprawie.

– Nasza Moniczka też już wszystko zgromadziła. – Ciotka zlekceważyła moją uwagę. – Leży spakowane pod jej łóżkiem. Czekamy tylko, aż Damian wróci z tego Wschodu.

– Strzelał tam do kogoś? – zainteresowałam się.

– Coś ty, przecież na misji jest. Pokój buduje.

Musi przy tym zburzyć kilka starych, ale to szczegół.

– Trzeba bambusów nauczyć co i jak – wtrącił wujek Klopsik. – Dyscypliny, porządku. Inaczej by nie wiedzieli.

Na szczęście wujek wie, dlatego w jego domu wszystko ma swoje miejsce. Nawet święci.

– A to co za paskuda? – Ciotka wzięła do ręki przytulankę, którą kupiłam Bondowi. Idąc za radą numer dziewięć: „Promuj ekologię wśród znajomych, robiąc im ekoprezenty".

Blagierka

– Brzydziak, z samych naturalnych składników. Szyty w Polsce, nie w Chinach – podkreśliłam.

– Wydziwianie – mruknął wujek. – Ludzie kupują dzieciom normalne lalki i jakoś nikomu krzywda się nie dzieje.

No cóż, z tak daleka jej nie widać.

– Żeby toto chociaż ładne było – marudziła ciotka, ugniatając brzydziaka niczym ciasto.

– Ale modne. Mówili nawet w telewizji.

To akurat nie kłamstwo. Jest przecież tyle kanałów.

– W telewizji? – ożywił się wujek. – Może byśmy takie robili na handel?

– Idź ty, z takim paskudztwem – skrzywiła się ciotka, nie przestając miętosić maskotki.

Milczeli przez chwilę, a potem przeskoczyli na swój ulubiony temat.

– Rodzice to mają zamiar wracać czy nie bardzo?

– Jak spłacą połowę kredytu – zdradziłam. Tak naprawdę, rodzice mówią o powrocie tylko wtedy, kiedy czują się winni, że zostałam sama.

– Kredyt, kredyt – rozsierdził się wujek, wycierając paluchy w obrus, jak za czasów króla Ćwieczka.

– Też im się zachciało przeprowadzek. Nowego mieszkania. A stare w Burakach było złe?

– Nie, całkiem fajne. Byłoby jeszcze fajniejsze, gdyby leżało bliżej Ścisłego Centrum, a dalej od garbarni, żeby w łazience zmieściła się wanna, w sypialni dodatkowe łóżko dla Dawida, a w kuchni prawdziwy stół zamiast stolika dla krasnali. I żeby w ogóle była kuchnia. Zamiast aneksu kuchennego, w którym tato starał się wyczarować coś smacznego nawet dla takiego niejadka jak pierworodna córka.

– Myśmy się wychowały z Alą, twoją mamą znaczy, na trzydziestu pięciu metrach – przypomniała ciotka. – I nikt nie narzekał.

– To teraz musi być wujkom pusto w takim hangarze – odparowałam.

– Pusto dopiero będzie – zmartwiła się ciotka. – Jak się młodzi wyniosą do Grodu.

– A tobie przyjemnie mieszkać samej? Rachunki teraz takie wysokie.

Więc o to chodzi. Wujkowie szukają stancji dla przyszłych nowożeńców.

– Ależ ja tu nie mieszkam sama, tylko z facetem – odparłam spokojnie.

– Z facetem? – oburzyli się wujkowie. – Co na to rodzice?

*

– Wszystko im wyjaśnię – obiecałam Bondowi.

Zrobił dziwną minę.

– To znaczy o tobie wiedzą, już od dawna – zapewniłam. Niech Bond nie myśli, że go ukrywam przed rodzicami. – Powiedziałam im, gdzie studiujesz, skąd pochodzisz, w jakim akademiku mieszkasz. I że jesteś w porządku.

Tyle wystarczy.

– Coś nie tak? – spytałam, patrząc na Bonda.

– Myślałem o twoich wujkach. Nie macie zbyt serdecznych...

– I tak stale robimy postępy. Kiedyś nazywali mnie obcą.

Albo Tą. „Ta im dopiero pokaże – prognozowała ciotka ze źle skrywaną satysfakcją. – Żeby tylko nie rozbiła rodziny. Bo wiadomo, jak jest z obcymi".

– A ty?

– Mówiłam do ciotki per pani, żeby podkreślić swój dystans. I pokazać, co do niej czuję. Ale w gimnazjum zrozumiałam, że nie zasłużyła na taką porcję autentyczności. No wiesz, to jednak towar luksusowy. Nie serwujemy go każdemu.

Bond zmarszczył brwi. Robi tak, kiedy coś naprawdę go zaboli.

– Ale ty, jako agent specjalnej troski, możesz liczyć na specjalne traktowanie – rzuciłam, pół żartem, pół serio.

– Nie martwię się o siebie, tylko... – Umilkł, lekko gładząc swój wypasiony zegarek. To znaczy wypasioną kopię wypasionej Alfy.

– Tylko?

– O twoich rodziców – wyjawił wreszcie.

Myśli, że ich oszukuję? Że kłamię? Nie, ja tylko nie zanudzam bliskich zbędnymi detalami. Oni zaś mi ufają. Krótko mówiąc, jest dobrze. A jednak Bond znowu się martwi. Chętnie bym zapytała, czym dokładnie. Ale nie lubię wiercenia w cudzej duszy.

– Wszystko im wyłożę, bez ściemy – zapewniłam. – Niech tylko wrócą na święta.

Czyli niedługo. Wigilia już za cztery dni. Bond za chwilę wybywa do rodziny, a moja przylatuje z Londynu dziś, obładowana prezentami. Odbieram ich z lotniska za parę godzin. Czy się cieszę? Na razie jestem zbyt zajęta sprzątaniem bardzo dużego pokoju. Kiedy trzeba wreszcie go odkurzyć, okazuje się naprawdę ogromny. Potem muszę zmienić pościel, ręczniki, przetrzeć blaty, posadzkę i wszystkie lustra. W ostatniej chwili wyskakuję z domu i pędzę do garażu po fiestę mamy. Odpalam silnik i rura za miasto. Zostawiam auto na parkingu, a potem śmigam do hali przylotów. Tam przyjmuję pozycję osoby nieco znudzonej długim oczekiwaniem, skupiając się na stabilizacji oddechu. Minutę później zauważam rodziców, między nimi brackiego. Zawsze wtedy coś łaskocze mnie w gardle. Ale przecież nie będę odstawiać scen jak z folderów dla świadków Jehowy (rozdział piąty: Spotkanie zbawionych). Macham dłonią niczym Letycja, żona księcia Felipe, i podchodzę zgrabnym krokiem. Ściskamy się, ale bez zbędnej egzaltacji. Najpierw z mamą, potem z tatą, na końcu z Dawidem.

– Cześć, bracki – mówię, klepiąc go w ramię, i zwracam się do wszystkich: – Pomóc wam z bagażem?

Jak zawsze odpowiadają, że nie trzeba, dadzą radę, bo w sumie to żaden ciężar. Ale i tak odbieram reklamówkę mamie, plecak Dawidowi. W drodze na parking zadaję mnóstwo pytań. Głównie o podróż. To ważny element rytuału powitalnego. Dzięki niemu łatwiej opanować wzruszenie. Kiedy już odpalę silnik fiesty, wspominam o nalocie Klopsików. Idealny moment, by to załatwić. I mieć z głowy. Poza tym wolę wyprzedzić relacje ciotki. Bo jak mawia Kama, kto pierwszy, ten lepiej zapada w pamięć.

– Wpadli jakiś tydzień temu. Dobrze trafili, akurat miałam ciasta z Kretesu. Zjedli wszystko, do ostatniego okruszeczka.

– Jak się rozmawiało?

– Miło jak zawsze. – Szczypta ironii nie zaszkodzi. – Trochę się martwili, że mieszkam sama. I pewnie kiepsko sobie radzę. Więc ich uspokoiłam, że mieszkam z facetem. Znaczy z Bondem. Wiem, lekka ściema. Ale nie lubię, kiedy ktoś się zamartwia bez powodu.

Rodzice nie komentują, więc przechodzę do opowieści o mikołajkowym przedstawieniu. Potem nawijam o studniówkowych dekoracjach. I nagle jesteśmy na miejscu.

– Tak szybko zleciało – dziwi się tato jak zawsze.

Szybko i gładko, moja w tym głowa. Niestety, następne dni obfitują w drobne zgrzyty. Znowu musimy się do siebie przyzwyczaić. Co nie jest łatwe, bo każdy ma inne nawyki. Ja na ogół żyję w ciszy (nie licząc szkoły, sobotnich imprez i sporadycznych treningów latino). Rodzice znowu mają gadane. O brackim nie wspomnę. Gdyby mu pozwolić, mógłby nadawać całą dobę, mamrocze nawet przez sen. I wiecznie blokuje łazienkę, bo w Anglii takiej nie mają.

– Nasza jest simple – dodał, bawiąc się kurkami.

Jak to nasza? A ta jest niby czyja, pomyślałam z irytacją.

– Używaj polskiego! – warknęłam. Trochę zbyt ostro, więc zaraz spytałam go o kumpli.

Zadowolony, zaczął terkotać. Przygryzłam usta, powstrzymując się od nerwowego ziewania. A przecież ja naprawdę lubię brackiego. Nawet kocham (choć rzadko się z tym afiszuję). Uważam, że trafił mi się świetny brat i równie fajni rodzice. A jednak, kiedy spędzamy razem calutki dzień, czuję się przytłamszona. I wszystko mnie drażni. Na przykład zbyt głośny śmiech mamy. Dziwne, przez Skype'a brzmi zupełnie inaczej. Tato z kolei ma okropny zwyczaj oblizywania noża do sera. Zawsze przy tym powtarza: „Patrzcie i uczcie się, jak nie należy postępować". Na co dzień zupełnie o tym nie pamiętam. Ale kiedy to widzę na żywo... mam ciarki. Dlatego szukam sobie zajęcia, żeby schodzić im z drogi.

Oni także, więc krzątamy się jak drużyna termitów budujących na akord nowe osiedle. Dziś na przykład ubraliśmy choinkę, mama zrobiła papierowe łańcuchy, a Dawid odmalował szopkę. Potem tato zszedł do piwnicy zrobić porządek, a ja zajęłam się prasowaniem ich rzeczy. Dziwne. Przecież zwykle nie wiem, gdzie leży żelazko! Potem szoruję łazienkę (choć robiłam to dwa dni temu), naprawiam karmnik dla sikorek, zmywam naczynia, niemal wyrywając je rodzicom z ręki. I bez przerwy pytam mamę, czy nie skoczyć do sklepu. Wiem, że nie ma potrzeby. Dwa dni wcześniej zrobiłam ogromne zakupy. Na rynku, jak radzili eksperci z „Miastówki". *Prosto od... hurtowników, bo rolnicy rzadko zaglądają tu zimą. Wybór średni, ale i tak zwiozłam do domu trzy megasiaty zielebców. No cóż, sprzedawcy lubią przeważać towar.*

– Ja tam drobiazgowa nie jestem – wyjaśniła baba od cytrusów, sypiąc mi półtora kilo mandarynek, choć prosiłam o równy kilogram.

Ale kiedy przychodzi do płacenia, liczy się każde dziesięć groszy. O targowaniu mowy nie ma. Nie ma też mowy o wybieraniu warzyw. Nie wolno ich dotykać nawet małym palcem.

– Zresztą po co – tłumaczył chłop od pomidorów. – Ja wybiorę najlepiej.

Dla kogo najlepiej, dowiedziałam się, wypakowując towar w domu. Połowa warzyw trafiła do kosza. Ale zostało tyle, by zapełnić lodówkę po brzegi.

Więc skok do sklepu nie ma sensu. Ale mama zrozumiała, o co mi chodzi. I na poczekaniu wymyśliła nowe zadanie, z dala od kuchni.

Nagle, nie wiadomo kiedy, nadchodzi Wigilia. Najfajniejsza z całych świąt, które bywają nieco nużące. Zwłaszcza drugi dzień, kiedy ma się wrażenie, że czas stanął w miejscu. Więc wybieramy się za miasto na długi zimowy spacer. A po powrocie ze zdziwieniem odkrywam, że ktoś poprzestawiał zegary. Już ósma? Kiedy to zleciało, przecież dopiero co odbierałam rodziców z lotniska. A jutro z rana wracają do Londynu. Wracają? No tak, do siebie, bo tu już nie jest ich dom. Tak mnie to przygasiło, że zaraz po kolacji zamknęłam się w łazience. Idealne miejsce, jeśli człowiek nie ma ochoty obnosić się ze skwaśniałą miną. Po co psuć nastrój całej rodzinie? To wbrew moim zasadom.

Z samego rana odwiozłam wszystkich na lotnisko. Potem odstawiłam auto do garażu i powolnym truchtem wróciłam do domu. Bez pośpiechu zrobiłam sobie imbirową herbatę i... po świętach, westchnęłam, zaglądając do lodówki pełnej pierogów i kutii. Kto to będzie jadł, gderałam. Ja? Na miesiąc przed studniówką? Wykluczone! Co z tego, że nie muszę się odchudzać. Po prostu nie mam zamiaru wciągać resztek, kiedy Dawid (teraz już Dave) będzie zajadał świeże frykasy. A tak naprawdę było mi przykro. Nie oczekiwałam, że rodzice zostaną do Trzech Króli. Wręcz przeciwnie. Liczyłam na to, że zwolnią mi chatę przed sylwestrem, tak żebym mogła przygotować się do urodzin. W końcu osiemnastkę ma się tylko raz w życiu! A jednak kiedy wróciłam do domu z lotniska, poczułam się dziwnie. Nie chodzi o zwykłą tęsknotę, która pojawia się zawsze po rozstaniu. Po cichu liczyłam, że pomogą mi zorganizować osiemnastkę. Jak rodzice Aleks. Jej tato przygotował nagłośnienie i drinki, mama upiekła masę ciastek. Nawet babcia zrobiła wiadro soku z pomarańczy. Aleks i tak narzekała, że ciastka za słodkie, drinki jak dla przedszkolaków, a w ogóle wolałaby imprezę w modnym klubie. Ale jej niewiele potrzeba do nieszczęścia. Nie doceniła nawet tego, że rodzice uprzątnęli meble w salonie, żeby goście mieli gdzie brykać. A moi spytali tylko, co wolę. Imprezę w domu (tradycja rządzi) czy w klubie (po nowemu)? Odparłam, że wolę w klubie, ale sylwester ogranicza możliwości wyboru, więc zostaje chata. Wtedy zapytali, czy mi pomóc z zakupami. Powiedziałam, że nie. Dam sobie radę jak zawsze. Ale mogli chociaż... chociaż zapytać jeszcze raz. Dla pewności. A oni tylko wręczyli mi kasę i kluczyk od barku (jakbym nie wiedziała, gdzie leży). I to wszystko. Więc chyba nie dziwne, że czuję się tak sobie.

*

Za to dziś czuję się naprawdę do bani. Przez Bonda. Wpadł do mnie wczoraj. Znienacka i z pustymi rękami. Na ogół nie zależy mi na prezentach, ale Gwiazdka to coś szczególnego. Jest może nawet ważniejsza niż walentynki. Nie będę jednak urządzać scen. Zagram inaczej, pomyślałam, zostawiając na fotelu paczuszkę dla Bonda. W środku notes z okładkami zrobionymi z dyskietek. I ekoprzytulanka, nieco wygnieciona przez ciotkę. Kiedy Bond znajdzie prezent, dopiero będzie mu głupio. Jutro w rewanżu przyniesie mi coś ekstra. Jakiś markowy kosmetyk albo może... Tylko że jutro to nie to samo. To jak spłacanie niewygodnego długu. Trudno, za rok się poprawi, uznałam, zerkając ukradkiem, jak Bond kokosi się na ulubionym fotelu taty. Znalazł! I odłożył na stolik, ciężko przy tym wzdychając. Bingo! Czuje się tak winny, że jutro mi wynagrodzi, podwójnie. Ale czy cofnie dzień? I czy mnie taki wymuszony prezent ucieszy? Raju, co się ze mną dzieje? Takie ponuractwo? Z powodu drobiazgu? Przyniosłam sok, usiadłam obok i wtedy wybuchła bomba.

– Dostałem nową pracę – rzucił znienacka. – W Sielankowie.

Sielanków, zupełnie zapomniałam, że stamtąd pochodzi.

– Oferują niezłą pensję – ciągnął Bond, nie patrząc mi w oczy. – Poza tym szybki wóz służbowy, nową komórkę, ubezpieczenie. Wszystko, co trzeba.

Wszystko? A podobno ja byłam wszystkim w jego życiu! Przynajmniej tak twierdził przed wakacjami. Ale nie będę mu przypominać. To poniżej mojej godności.

– Kiedy jedziesz? – spytałam tylko.

– Pojutrze wieczorem. Zaczynam pracę od stycznia.

– A rzeczy?

– Przewiozę busem wujka.

To znaczy, że Bond wiedział wcześniej. I nie puścił pary z ust, choć było tyle okazji. Na przykład zaraz po andrzejkowej imprezie, przypomniałam sobie. Chciał mi wtedy powiedzieć coś ważnego. Ja zaś zmieniłam temat, myśląc, że... byłam taka naiwna. I ślepa!

– Masz fajnego wujka – skwitowałam, spokojnie sącząc lemoniadę. Przynajmniej starałam się, by tak to wyglądało.

– Mógłbym cię czasem odwiedzić – zaproponował na pocieszenie.

Już miałam odpowiedzieć, że będę bardzo zajęta, bo matura, warsztaty salsy i bardzo ważny projekt. Ale to takie banalne. Od razu by się domyślił, jak bardzo mnie zabolało rozstanie.

– Ja też może zwiedzę Sielankowo – postraszyłam.

Bond odchrząknął, dziwnie spięty.

– Ale dopiero latem, po maturze. Zresztą wieś zimą to nie dla mnie. Straszne nudy! – wymknęło mi się. Po prostu nie mogłam się powstrzymać.

Wstałam, dając do zrozumienia, że rozmowa skończona. Jeszcze chwila i wybuchnę. A tego byśmy nie chcieli.

– Zadzwonię – wydukał, podając mi dłoń.

– Nie, to ja zadzwonię – przejęłam pałeczkę. – Mam dużo darmowych minut.

Niech się palant martwi, czy i kiedy spełnię obietnicę. Wyszedł, zostawiając na stoliku mój prezent. Zapomniał z nerwów? A może olał, tak jak olał to, co nas łączyło przez ostatnie miesiące.

*

– Cili co? – zainteresował się Chesus.

Wpadł przed chwilą, żeby się pożegnać przed wylotem na Kanary. Ma tam podładować baterie słoneczne i dorobić, biorąc udział w sesji mody. Zaprojektowanej przez dwóch zdolnych Katalończyków: Paco Y Rabana.

– Mam dla ciebie ich torebka – oświadczył, wręczając spore pudełko. – Prawdziwa eko. Nie ekościema made in koncern.

– Ja też coś mam. – Podałam mu prezent przeznaczony dla Bonda. Co się będzie kurzył pod choinką i mnie denerwował. – Eko za eko.

Chesus otworzył.

– Piękna prezent. Miło, pamiętałaś.

Byłam zbyt zdołowana, by poczuć jakiekolwiek wyrzuty.

– Och, to zwykły odruch! – wyjaśniłam zgodnie z prawdą.

Blagierka

– Rozwinie moja prezent. Piękna torebka.

Zerknęłam. W środku leżało kosmiczne cudeńko ulepione ze sreberek po trufelkach. Lady Gaga byłaby zachwycona. Ja również, ale nie dziś, nie teraz.

– Fajna – mruknęłam tylko, siląc się na uśmiech.

Chesus, zadowolony, zaczął tłumaczyć, jak wygląda proces tworzenia. Otóż babcia Paco (wielbicielka słodyczy) dostaje bombonierki, a w zamian wytwarza ze sreberek torebki i kapelusiki.

– Takie dzieło za pudełko czekoladek – wtrąciłam. – Uważasz, że to sprawiedliwy handel?

Chesus przyjrzał mi się uważnie.

– To nie jest twoja dobra dzień – oświadczył wreszcie.

Trudno się chyba dziwić. Wzięłam głęboki oddech i zdradziłam powody. Otóż ten cholerny frajer Bond zerwał ze mną tuż przed urodzinami. Bez skrupułów. Choć tyle nas łączyło.

– Cili co?

– Jak to co? – niemal krzyknęłam. – Mił...

Zaraz, zaraz, chyba się zagalopowałam. Po pierwsze, o takich sprawach nie opowiada się katalońskiemu bojownikowi, a poza tym... Nagle uświadomiłam sobie coś okropnego. Bond nie powiedział, że mnie kocha. Ani razu! Mówił, że jestem superlaską i w ogóle wszystkim (cokolwiek to znaczy), że z nikim się tak nie czuł i że mnie nie zapomni. Ale zero „kocham cię". Więc ja też nic nie mówiłam. Co się będę wychylać. A teraz mi żal. Zdenerwowana, zaczęłam szperać po szufladach. Cholerne chusteczki. Nigdy ich nie ma, kiedy są człowiekowi potrzebne.

– Ciemu płacie? Mówiła, był fan, superzabawa – przypomniał Chesus.

– Ze złości!

– Brawo! Złość wiedzie do rewolucja.

– Chromolę rewolucję! Chcę być szczęśliwa!

– Z nim była?

Nie wiem. Wiem za to, na pewno, że teraz nie jestem. Wcale a wcale! Chesus, przejęty, zaproponował, że przebukuje bilety na Kanary i spędzi ze mną urodziny. Nie sylwka, podkreślił, bo go bojkotuje od końca studiów. Jest zbyt dumny, by się bawić na z góry ustalony sygnał. Woli sam wybierać, kiedy i z kim ma tańczyć.

– Ale twoja urodziny mogę zostać – zapewnił.

Natychmiast odmówiłam. Ja też mam swoją dumę. Ale zaraz po wyjściu Chesusa klapnęłam na fotelu mamy i zaczęłam płakać naprawdę. Po raz pierwszy od... od... wolę nawet nie wspominać tamtych okropnych czasów, kiedy byłam zwykłą Emalią. I wtedy zadzwonił telefon. To był tato. Chciał sprawdzić, jak sobie radzę na chwilę przed wkroczeniem do świata dorosłych.

– Wu-wu-en-pe? – zapytał, co w naszym kodzie oznacza: „Czy wszystko w najlepszym porządku?".

Jeśli wszystko jest naprawdę OK, mówię: „Gra i buczy". Jeśli daję radę, mimo ciśnienia w szkole (i chlapy za oknem), rzucam: „De-er". A jak stare nudy, odpowiadam: „Te-es" (to samo) lub „Bezet". Nie wiedzieć czemu, tato najbardziej lubi „bezet", dlatego od razu mu zaserwowałam.

– Coś mi to nie brzmi jak bezet – stwierdził bez ogródek.

– Mam katar – skłamałam.

– Katar to bzdura. – Tato wykazał typowe podejście do moich problemów zdrowotnych.

W tej sytuacji musiałam podać inny powód. Oczywiście zastępczy.

– Gryzę się maturą – mruknęłam. – Bo jeśli źle wypadnę, mam szlaban na dziennikarstwo.

– To pójdziesz na wieczorowe. Stać nas na to. Przynajmniej tyle dobrego z emigracji.

Cicho westchnął. Poczułam się zakłopotana; tato nigdy nie mówił, że żałuje wyjazdu. I po raz pierwszy użył słowa „emigracja". Co oznacza, że powrotu nie będzie. Nie będzie!

– Nie chcę, żebyście płacili – rzuciłam ostro. – Dostanę się na dzienne, spoko.

Bo wieczorowe to obciach. Albo jak powtarza Kama, nagroda pocieszenia. Za którą zawsze płacisz, zbyt dużo.

– Przejmujesz się maturą – spytał nagle tato – czy jest coś jeszcze?

– Taki jeden projekt – wyjawiłam, odciągając uwagę od głównego źródła bólu. – Jesienią zgodziłam się prowadzić ekostronę, razem z kumplem i...

– Mama mi wspomniała. O kumplu również. Przypomina jej Czajnika.

Tyle że Krejzol lepiej sobie radzi z rzeczywistością. Umie się przebrać, dostosować, ugiąć. Czajnik nigdy nikogo nie udawał. Był sobą. Niezgrabnym, topornym czajnikiem.

– Może trochę – mruknęłam.

– Podobno strona świetnie wygląda – ciągnął tato. – Mama zerknęła parę razy i jest pod wrażeniem.

Skoro mama tak uważa, nie będę się uskarżać.

– Działa, owszem.

– Ja też zajrzałem – przyznał się tato. – Trzeba przyznać, że wywiązałaś się z zadania na piątkę.

Ale to tylko zadanie. Nic więcej.

– Nie każdy rodzi się buntownikiem. – Próbował mnie pocieszyć.

– Jak mama? – rzuciłam zaczepnie.

– Obiecaliśmy sobie przecież, że nie będzie takich porównań. Mama to mama. Ty jesteś całkiem inną osobą.

Choć nie powiedział tego z przyganą, poczułam, że temat wymaga rozwinięcia.

– Mama miała łatwiej – zaczęłam. – Bo w waszych czasach było z czym walczyć. Kryzys, szarzyzna, niewola – wyliczyłam tonem znawczyni. Choć dla mnie poprzedni system jest taką samą abstrakcją jak wojna w Wietnamie. – Nie to, co teraz.

– Pod pewnymi względami niewiele się zmieniło. Tyle że wszystko jest rozmyte. Zamiast jednego systemu jest wiele korporacji. Ale jeśli tkwisz w środku, musisz przyklaskiwać i chwalić. Nawet gdy koncern produkuje kosztem słabszych.

– Zawsze można przeskoczyć do...

– Innego koncernu? – Zaśmiał się tato. – To jak zmienić kolkę na sprinta.

Dla Joszka byłaby to prawdziwa rewolucja. Nie pija nic innego, nawet na śniadanie.

– Zawsze można coś zrobić – odrzekłam, nie tracąc rezonu. – Jeśli tylko człowiek chce.

– Właśnie, jeśli – podkreślił. – Pomyśl o tym.

Niekoniecznie jutro, dodał na koniec, przypominając o cholernych urodzinach. Nawet nie spytał, z kim będę świętować. Zresztą trudno się dziwić. Już w Wigilię opowiedziałam rodzicom, kogo zapraszam (wybrańców z pierwszych ławek) i co przygotuję (same pyszności, tym razem ze „Spiżarni"). Nie dodałam tylko, że impreza odbędzie się w ferie. Tę wyjątkową noc chciałam spędzić tylko z Bondem. Człowiek w końcu musi się sprawdzić, prawda? No i w klasie wszyscy już od dawna myślą, że mam TO za sobą. Zwłaszcza Aleks zazdrości mi chaty wolnej od nadzoru starszyzny. Uważa, że gdyby dysponowała wolnym lokalem, wiodłaby bardzo bujne życie towarzyskie.

Więc co jakiś czas ponawiałam propozycję, ale Bond się wykręcał, mówiąc, że nie jestem dorosła. Teraz by nie mógł odmówić, zwłaszcza po północy... Że też trzymałam to w sekrecie! Gdyby Bond wiedział o czekających go atrakcjach, może zrezygnowałby z wyjazdu do Sielankowa. A może by zerwał nazajutrz. Dopiero bym się czuła! Jak skasowany bilet. Niech jedzie, orzekłam. Ja sobie poradzę! Wytańczę się na maksa w bardzo dużym pokoju. Mogę też zaprosić połowę mojej klasy. Tę gorszą, która robi za firmament gwiazdom takim jak Kama, Aleks czy siostry Brönte (że nie wspomnę o sobie). Mogłabym, ale nie zaproszę. Zostało za mało czasu, a poza tym zaraz by się rozniosło po szkole, że Paris musiała szukać zastępstwa. Poza tym mam w tym względzie przykre doświadczenia.

W szóstej klasie tuż po odejściu Czajnika szukałam sobie koleżanki. Wszystkie najlepsze były zajęte. Została Julitta, największa ciamajda. To znaczy w tylnych rządach siedziało kilka większych ofiar, ale Julitta najbardziej rzucała się w oczy. Próbowałam do niej zagadać na dużej przerwie. Spytałam, czy widziała nowego „Harry Pottera". Pokręciła głową, więc zaproponowałam, że wybierzemy się razem. Odmówiła. Uznałam, że to dla niej zbyt duży krok. Panna jest w szoku, musi się oswoić z ofertą. Przemyśleć pół nocy, obgryźć ze trzy paznokcie. Odczekałam kilka dni i zrobiłam drugie podejście, zapraszając Julittę do siebie do domu na „Epokę lodowcową". Znowu odmówiła!

– Nie musisz się wstydzić – przemówiłam głosem dobrej wróżki. – Moi rodzice są w porządku. Nawet nie będą do nas zaglądać.

– Nie wstydzę się, po prostu nie chcę – odparła, patrząc w bok.

I wtedy zadałam jej zupełnie niepotrzebne pytanie.

– Dlaczego? – odburknęła. – Myślisz, że to taka frajda kumplować się z odszczepieńcem? Celuję wyżej.

Wtedy postanowiłam, że nie będę zdawać do gimnazjum w mojej szkole. Wybrałam Gimnazjon, ku zdziwieniu rodziców. I zdałam. Julittę spotkałam tylko raz, przed egzaminami do liceum. Udawałam, że jej nie poznaję. Dziecinna zagrywka. Teraz powiedziałabym: „Cześć", jakby nigdy nic. Bo przecież nic wielkiego się nie stało.

Ale błędu nie powtórzę. Już wolę posiedzieć sama. Robię to niemal codziennie i nikomu nie dzieje się krzywda.

Blagierka

*

– Jak minął sylwek?

Krejzol przyszedł do mnie w sobotę. Niby pogadać o stronie, jak zwykle, a tak naprawdę złożyć mi urodzinowe życzenia. Wręczając prezent (odjechana skrzyneczka na pierścionki), spytał, czy dobrze się bawiłam. Tak mnie zaskoczył, że nie zdążyłam wymyślić nic efektownego. Więc dla odmiany zaserwowałam szczyptę prawdy.

– Przesiedziałam z butelką piwa, patrząc w choinkę. Próbowałam pójść spać przed dwunastą, ale się nie dało. Cholerne petardy. Więc puściłam na cały regulator Chopina. Fryderyka. Ładna ta skrzyneczka – pochwaliłam, bawiąc się wieczkiem. – Sam robiłeś?

Przytaknął i zapytał, co z Bondem.

– Zerwaliśmy. To znaczy on zerwał. – Sama nie wiem, czemu to powiedziałam

– Okropne.

No raczej.

– Na szczęście nie byłam w nim zakochana – dodałam, po raz enty zamykając skrzyneczkę na kluczyk. I znowu otwierając. – Nawet za bardzo mi się nie podobał. I to nazwisko. Jarek Bąd. Brzmi prawie jak „błąd".

I tak mi się będzie kojarzyć. Z największym błędem mojego życia. Ale o tym cicho sza.

– Więc czemu się z nim spotykałaś?

Bo mi imponowało, że tak się stara. Wydzwania, zaprasza na imprezy i przedstawia mnie kolegom jako „swoją kobietę".

– Wiesz, jakie to wrażenie być kobietą Bonda? W wieku siedemnastu lat?

– Chętnie bym się dowiedział, ale już za późno. Za pół roku kończę dwadzieścia.

Wyjątkowo płaski żart. Ale nie będę komentować, nie dziś, uznałam, patrząc na urodzinowy prezent.

– Były jakieś inne powody, dla których...

– A muszą być?! – warknęłam, nieco za ostro. – Nie można się spotykać ot tak, dla zabawy?

– Jazda na karuzeli – podsumował Krejzol. – Na ogół szybko się kończy.

– Wiem! Ale nie spodziewałam się, że Bond wysiądzie pierwszy.

– Kopniak w tyłek boli bardziej niż cios w serce?

Ja to nazywam zranioną dumą, ale niech mu będzie. Boli jak fiks. Zwłaszcza kiedy pomyślę, że zostałam na lodzie. I kto mi teraz zapewni rozrywki?

Blagierka

– Jak nie przestaniesz jej męczyć, rozpadnie się w ciągu godziny – ostrzegł Krejzol.

Bez słowa odłożyłam skrzyneczkę na półkę.

– A jak tobie minął sylwester? – Zmieniłam temat. – Pewnie szalałeś na całego?

– Nie bardzo. Poszliśmy z kumplami na rynek obejrzeć sztuczne ognie. Kewin, poznałaś go wtedy przy alei Ziomków, ten brunet w kapturze – wtrącił. Szybko przytaknęłam. – No więc skołował jak zwykle trefne chińskie petardy. Potem odpalił na rynku i mu sieknęło trzy paluchy.

– Nie dało się przyszyć?

– Nie było czego. Lekarze z trudem uratowali mu kciuk.

– Pewnie rozpacza...

– Coś ty. Cieszy się, że ma spokój od szkoły.

– Ale będzie musiał nadrobić.

– Kewin nie robi tak odległych planów. Żyje chwilą obecną, jak radzą specjaliści od szczęścia. Reszta paczki również – rzucił, dziwnie cierpkim tonem.

– Muszą być naprawdę fajnymi kumplami, skoro z nimi...

– Nie chcę uchodzić na osiedlu za malowanego ptaka. Jako mistrzyni mimikry chyba rozumiesz?

Zabrzmiało to jak przytyk, ale nie będę się burzyć. Wręcz przeciwnie. Uznam, że to BYŁ komplement.

– Jako mistrzyni rozumiem.

– Poza tym – Krejzol zawahał się – no dobra, szczerość za szczerość. Nie chcę być snobem jak mój ojciec, który pomiata ludźmi bez studiów.

Ciekawe, jak pan Światowiec ich rozpoznaje. Pyta o dyplom?

– Odkąd wymęczył doktorat, uważa, że znalazł się w lepszym świecie – ciągnął.

– Ma doktorat?

– I wykłada na uczelni. Bardzo ciekawe kursy. Na przykład o empatii w społecznościach rozwiniętych. A potem wraca na pokoje i odgrywa panisko przed matką. Poniża ją tylko dlatego, że nie skończyła studiów. I pochodzi zza Rzeki.

– A on niby skąd jest?

– Przyjechał do Grodu z maleńkiej podhalańskiej wioski. Ale już o tym nie pamięta. Zupełnie. Wszystkich kolegów pozmieniał, na braci się wypiął, babcię przeniósł do garsoniery w Pięknych Widokach.

Blagierka

A dziadkowi znalazł pewną efektowną kwaterę na Starym Cmentarzu.

Dlatego Krejzol poszedł tam w Zaduszki, przypomniałam sobie.

– Nawet nazwisko zmienił – zdradził Krejzol, zawstydzony. – Tylko żony nie może. I chyba nie chce. Bo w gruncie rzeczy bardzo mu wygodnie. Czyste koszule, smaczne obiady. Służąca drożej by go wyniosła.

– Straszne!

– Dlatego nie chcę być taki jak on. Stąd to wszystko. – Klepnął się po bicepsie.

Zadziwiająca forma buntu: udawać kogoś, kim się nie jest, przed kimś, kto też udaje. A mnie zarzucał, że nie jestem autentyczna. Miałam ochotę przypomnieć, ale wystarczył mi rzut oka na Krezjolową stopę. Jeszcze chwila, a przewierci paluchami dywan. Co oznacza, że też jest w czarnej dupie. I rozpaczliwie szuka wyjścia.

– Ale szkoły nie rzucisz? – spytałam ostrożnie.

– To jedyne, co mi wychodzi – odparł i zaraz zapytał o fotkę stojącą na mojej półce.

– Starsza siostra?

– Mama, miała tu dwadzieścia dwa lata. I jechała właśnie na koncert Heya.

– Bardzo się zmieniła. To znaczy teraz też wygląda spoko – dodał zaraz, speszony. – Tylko...

– To dwie różne osoby – wyjaśniłam. – Ta ze zdjęcia mnie urodziła. I zaraz umarła. A ta druga przejęła obowiązki sześć lat później.

– Nie masz mamy?!

Dawno nie słyszałam kogoś równie wstrząśniętego. Postanowiłam szybko działać.

– Mam więcej matek niż przeciętny użytkownik telewizora. Tyle że działają w różnych rejestrach. Ale są – podkreśliłam. – Obie. Ciotka Klopsik powtarza, że nie zasłużyłam na aż tyle. Bo żadne ze mnie pokorne cielę.

– Jeszcze sobie żartujesz? – oburzył się Krejzol. – Umiera ci najbliższa osoba...

– Mam rozpaczać osiemnaście lat po fakcie?

– Nie chodzi o rozpacz, tylko... – szukał odpowiednich słów. – Przecież poniosłaś ogromną stratę.

Możliwe, ale jej nie czuję. Choć tato usilnie nad tym pracował. *Przy każdej okazji powtarzał, jak świetną osobą była mama Ania. I jak umiałaby o mnie zadbać. „Nauczyłaby cię pływać kraulem" (to nad wodą), „chodziłybyście na koncerty Heya" (to po kupieniu ostatniej ich płyty), „zrobiłaby ci odjazdowy tort z mandarynek" (to na imprezie urodzinowej), „miałaby czas, nie to co ja" (to przed wyjściem na każdy dyżur). I wreszcie: „Kochałaby cię jak nikt inny, gdyby tylko...". Ktoś o psychice Aleks mógłby się załamać. Ale ja nie mogłam sobie na to pozwolić. Dobiłabym tatę, zupełnie. Więc dokonałam magicznej sztuczki, zmieniając mamę Anię w skrzyżowanie elfa z aniołem. Cudowną opiekuńczą istotę, która nigdy mnie nie opuściła. „Przeszła tylko w inny wymiar – tłumaczyłam Czajnikowi. – Teraz jest nawet lepiej, bo mogę ją prosić o różne przysługi". I prosiłam. O to, żeby tato nie był sam (rok później się ożenił), żebym znalazła prawdziwego przyjaciela (po wakacjach do naszej klasy dołączył Czajnik), żebym zdała do Gimnazjonu (poszło jak po maśle), wreszcie o to, żeby rodzice mieli lepszą pracę. Gdzie nikt nie będzie nimi pomiatał. Po ich wyjeździe do Londynu skończyłam z dziecinnymi prośbami.*

Zresztą świetnie sobie radzę. Sama. Na tym chyba polega dorosłość, stwierdziłam, sprawdzając w lustrze, czy bardzo się postarzałam od zeszłego piątku. Nie, żadnych śladów. Przynajmniej ja ich nie widzę. Ale zobaczymy, co powie moja klasa.

*

– Witaj wśród dorosłych!

Siedzieliśmy właśnie w Gołębniku. Mikołaj przyniósł herbaty z prądem. Na dyskretny znak Kamy wszyscy wypili za mnie toast. Nawet Joszko darował sobie dziś kolkę. Potem siostry Brönte wręczyły mi prezent. Ukryty w okrągłym pudełeczku, malowanym w herbaciane róże. Opakowanie pierwsza klasa, zawartość będzie mniej atrakcyjna. Typowe dla naszej paczki, pomyślałam, z pewnym rozczuleniem. Ale zaraz przypomniało mi się, że ja też jestem jej częścią.

– Wreszcie do nas dołączyłaś – orzekła Aleks takim tonem, jakim wita się opieszałego uczestnika maratonu.

Mikołaj wyrecytował życzenia ułożone w zgrabny wierszyk. I po sprawie.

– Imprezka w ferie – przypomniałam wszystkim. – A jak sylwester?

Kama nerwowo rozwinęła lizaka, Mikołaj utkwił wzrok w swoich nowiusieńkich butach.

– Każdy przesiedział u siebie – zdradziły wreszcie siostry Brönte. – Jak zwykle czekając, aż ktoś inny wszystko załatwi.

– Ja was zapraszałam – obruszyła się Kama.

– Też mi zabawa – prychnął Joszko. – Przy szampanie dla przedszkolaków. I pod czujnym nadzorem twoich starych.

– Dyskretnym – wtrącił Mikołaj. Niby w obronie, ale zabrzmiało to raczej ironicznie.

– Ty pewnie bawiłaś się na całego – orzekła Aleks, nie kryjąc zazdrości.

Mogłabym zaprzeczyć, ale po co?

– Głowa to mnie boli do dzisiaj – zdradziłam.

– Ja od razu wyczułem, że coś nie tak. Ale myślałem, że chodzi o Bonda.

Mikołaj i jego cholerna empatia.

– Poniekąd chodzi – przyznałam, masując skronie. – Wyjechał wczoraj.

– Wyjechał??? Dokąd? I dlaczego?

Mam powiedzieć, że wybrał ciepłą posadkę w Sielankowie? Obciach do entej! Muszę wymyślić inną wersję wydarzeń. Otóż Bond, zdradziłam, wyjechał do Irlandii. Na cały rok.

– Po co?

– Też chciałam wiedzieć. Ale z Bonda niełatwo coś wydobyć. W końcu mi się udało – wyjawiłam, zniżając głos. – Otóż Bond postanowił sprawić mi superprezent.

Umilkłam, dawkując napięcie. Siostry Brönte nerwowo przygryzały usta.

– Chce zarobić na nasz wspólny dom. Dlatego przyjął świetnie płatną pracę w Irlandii. Inaczej nie zdecydowałby się na tak długie rozstanie.

– Nie stać go na kredyt? – zdziwiła się Kama.

– To ma być naprawdę konkretny dom. Z pięknym ogrodem, takim w stylu angielskim albo celtyckim.

– Czyli jakim?

Ależ ta Kama wścibska. Wszystko musi wiedzieć. Po prostu wszystko!

– Nie wiesz, co to jest styl celtycki? – wyraziłam oburzenie. Może to ją zniechęci do pytań. Niestety. Musiałam więc improwizować.

– Dzikie wrzosy zamiast równo wygryzionego trawnika i miniaturowe Stonehenge zamiast polskiej fabryki komarów.

– Nie wydajesz się uszczęśliwiona – zauważyła Aleks złośliwie. Chyba w zemście za „fabrykę komarów". Jej rodzice zafundowali sobie na działce aż dwie, ogromne. Poza tym Aleks lubi, kiedy inni też łapią doła. Nie czuje się wtedy wyobcowana.

– A ty byś była, rozstając się z facetem na cały rok? – odparowałam.

– Może czasem wpadnie – pocieszał Mikołaj.

– Na to właśnie liczę – przyznałam skwapliwie. – Dzięki temu się trzymam.

Dziewczyny kupiły bajkę i jak znam życie, puszczą w obieg. Więc w klasie mam spokój. Pytanie tylko, co ze studniówką. Liczyłam, że pojawię się z Bondem. Mogłabym przyprowadzić kogoś innego, na zastępstwo. Ludzie by zrozumieli. Ale ja nie uznaję namiastek. Już wolę pójść sama. Albo wcale. W końcu co to za impreza pod okiem belfrów. I z własną klasą. Kinderbal. No wiem, pamiętam, że w sumie jestem najmłodsza, ale biorąc pod uwagę ogrom doświadczeń, powinnam się bawić z absolwentami prawa. Ale nie będę, niestety, ponieważ Bond wyciął mnie ze swojego życia. Raz na zawsze. Nie mam zamiaru płakać. Nie przez kolesia, który spuszcza mnie po brzytwie na trzy dni przed sylwestrem. I przed osiemnastką. Nawet nie spytał, jak sobie poradzę. Może już nie pamięta, kiedy mam urodziny, przemknęło mi nagle przez głowę. Aż skuliłam się z bólu. To znaczy skuliłabym się, gdyby to było w domu. W mojej szkole wymaga się więcej opanowania. Trochę jak na lodowisku. Masz pokazać, że dobrze się bawisz. Nawet jeśli zaliczyłaś upadek. Wstajesz, zaciskasz zęby i jedziesz dalej. Więc pojechałam.

Z pewną pomocą magister Lotos. Tuż przed feriami przypomniała sobie o naszym projekcie i poprosiła o referat. Na pierwszy poświąteczny poniedziałek, dodała, żeby nie było wątpliwości. Zamiast więc rozmyślać o skutkach wyjazdu Bonda, nawijałam niczym mój bracki. Przez pół godziny wychowawczej. Potem poprosiłam Joszka, żeby włączył swój wypasiony laptop (używa go do robienia notatek) i wybraliśmy się na wirtualną ekowycieczkę. Dla mnie nudną niczym zwiedzanie niemieckich parków, ale klasa wykazała stosowne zainteresowanie. W myśl zasady, że solenizantom należy się trochę spokoju. Nawet Joszko nie ziewnął ani razu. Za to magister Lotos była zachwycona.

– Świetna strona – powtarzała, zacierając dłonie. – Muszę przyznać, że się nie spodziewałam. Miałam nawet pewne obiekcje, czy podołasz zadaniu. Na szczęście Dyrektor przypomniał o kampanii antynikotynowej.

Blagierka

Kampania? Dla mnie to był pikuś, wymyślony w trymiga. *Przed wakacjami Dyru ogłosił konkurs na scenariusz akcji przeciw paleniu. Zwycięzca miał otrzymać półroczny karnet do najmodniejszego fitness klubu w Ścisłym Centrum. Nie jestem fanką ostrych treningów, ale lubię zagwozdki. Poza tym nudziło mi się na fizyce, więc naszkicowałam konspekt. I przedstawiłam Dyrowi po lekcjach. Na początek wyjęłam paczkę Pał Małych, pożyczoną od Aleks.*

– Gdyby straszenie chorobami było skuteczne, taki napis – postukałam paznokciem – rozwiązałby problem. Ale jak wiemy, to nie działa. Wielu palaczy nawet go nie dostrzega.

– Ludzie lekceważą zdrowie. Swoje i cudze – westchnął Dyru, patrząc na kanapkę, którą przygotowała mu mama. Spomiędzy połówek hamburgerowej bułki wystawał gruby jęzor pasztetowej. Ohyda! – Można mówić, tłumaczyć, i nic nie dociera, zupełnie.

– Ale jest coś, czego się boimy – wtrąciłam. – Śmieszność.

– Żartujesz.

– Mówię serio. Dlatego zamiast bawić się w zakazy, skojarzyłabym palenie z czymś wstydliwym.

– Na przykład?

– Z puszczaniem bąków. Śmierdzących – dodałam. – To obciach w każdym towarzystwie.

Tolerujemy cyników, bezwzględnych spryciarzy, nawet chamów. Ale jedna mała blucha załatwia człowieka na amen.

– Jak to zrobić? Pogadanki, wykłady?

– Zero trucia – orzekłam. – Wystarczy ogłosić na apelu, że pozwala pan palić pełnoletnim uczniom. W końcu to legalne, podobnie jak pierdzenie. Ale też obciachowe i wiadomo, śmierdzi, dlatego można to robić w ściśle określonych miejscach. Na przykład w ubikacjach.

– Ale uczniowie już tam palą.

– I mają frajdę, którą pan im odbierze, oznaczając kabinę napisem: „Tu możesz pierdzieć". Z kozaków łamiących regulamin zmienią się w cieniasów, którzy muszą sobie pyknąć. A proszę sobie wyobrazić komentarze niepalących.

Dyru nic nie powiedział, ale następnego dnia zwołał apel i kazał zamontować w toaletach odpowiednie tabliczki.

Po miesiącu wręczył mi karnet do fitness klubu. Podarowałam go Aleks, najbardziej poszkodowanej w kampanii.

Blagierka

– Tamta akcja była niezła – ciągnęła magister Lotos. – Ale kontrowersyjna. Natomiast wasza ekostrona to perełka. Bez skazy!

Chyba już wiem, dla kogo ją robiliśmy...

*

Siedziałam właśnie na ulubionym fotelu taty, machając z nudów nogą, kiedy ktoś zadzwonił do drzwi. Nerwowo, a może raczej nieśmiało, jak nieznajomi, którzy przychodzą ze sprawą. Lub po prośbie. Naciskają dzwonek tak, jakby był pod napięciem. I zaraz odskakują od drzwi, stając co najmniej metr za wycieraczką. Ciekawe, kogo przywiało tym razem, zastanawiałam się spokojnie. Nie jestem jedną z tych nerwusek, które pędzą do drzwi niczym podekscytowany doberman. Odrywam się od fotela, kiedy naprawdę warto. Albo z musu. Tato nazywa tę skłonność „dupą z ołowiu" i od razu dodaje: „Nie wiem zupełnie, po kim to masz". Po kim, po kim, prycham wtedy. Czy wszystko muszę dostawać w prezencie? Nie mogę sama wypracować? Wróćmy do dzwonka. Czy spodziewam się gości? Nie. A może to Bond? Skruszony mroźną zimą w Sielankowie wrócił, by prosić o drugą i ostatnią szansę. Sprawdźmy. Powoli otworzyłam drzwi, metr za moją wycieraczką stało zjawisko! Tak właśnie wyobrażałam sobie elfy. Śliczna twarz, figura baletnicy, gęste, prawie białe włosy, kocie oczy i absolutnie żadnych wad. To znaczy może w ostrym słońcu coś wyszłoby na jaw, ale w świetle moich ekologicznych żarówek – nic a nic. Irytujące! Powszechnie wiadomo, że jestem całkiem niezłą laską (skromnie mówiąc), najzgrabniejszą w klasie, ale w porównaniu z tą małą poczułam się... nie będzie żadnych porównań. Po co! My, ładne dziewczyny, musimy trzymać sztamę. Jest nas tak niewiele.

– O co chodzi?

– Bo zapomniałam, że odwołano lekcje baletu – wyszeptała speszona. – I przyszłam do babci. Ale jej nie ma.

– Możesz poczekać u mnie. – Królewskim gestem zaprosiłam ją do środka.

– Naprawdę mogę? – ucieszyła się i pewnie w obawie, że zmienię zdanie, natychmiast wlazła do środka.

Zdjęła kremowe kozaczki i poczłapała za mną do pokoju. Bardzo ciężkim krokiem. Dziwne, myślałam, że elfy unoszą się nad ziemią. Może młoda nie chce się popisywać. Albo rodzice wszyli jej do rajstop sztabki ołowiu, żeby nie budziła sensacji w mieście. Już wystarczy, że wygląda, jak wygląda. Zjawiskowo.

– Herbaty? – zaproponowałam. – Z sokiem malinowym?

Ochoczo skinęła. Fajnie. Kiedy człowiek jest zajęty przygotowaniem poczęstunku, nie musi się tak skupiać na rozmowie.

– Mam sporo kutii. I mrożone pierogi. Chyba że wolisz czerstwy chleb i ocet – zażartowałam.

– Kiedyś bardzo lubiłam ocet. Maczałam w nim suche piętki razowca, wyobrażając sobie, że nie mam nic do jedzenia. Moja ulubiona zabawa.

Zaraz, zaraz, to przecież była m o j a ulubiona zabawa! Poczułam się nagle, jak człowiek, który musi się dzielić miejscem na bardzo wąskim podium. Młoda źle odczytała moją minę, bo natychmiast zsunęła się ze stołka.

– To ja może pójdę, bo przeszkadzam. Babcia powinna zaraz wrócić.

– Gdzie mieszka? – zainteresowałam się.

– Pod jedenastką.

– Czesława Pyton to twoja babcia?

Słynna Naftalina, która wzywa straż miejską tuż po dziesiątej. Tylko w zeszłym roku nasłała na mnie policję cztery razy. Nie odpowiada na „dzień dobry", ale kiedy zapominam jej złożyć ukłon, od razu wysłuchuję uwag na temat dzisiejszej młodzieży. I pomyśleć, że wnuczka tej kobry zajęła mój ulubiony taboret! Oburzające. Ale przecież nie wyrzucę młodej z mieszkania. Po pierwsze, nie jej wina, że w pakiecie rodzinnym wylosowała Naftalinę. Po drugie, goszcząc wnuczkę Pytona, okazuję moralną przewagę. I co ważniejsze – dystans. Więc kiedy młoda przytaknęła, odparłam tylko.

– Aha.

I zaraz podałam jej kutię. Na moim ulubionym talerzyku w motyle.

– Długo uczysz się tańczyć? – zagaiłam.

– To żaden taniec, tylko balet. – Westchnęła. – Morduję go od podstawówki. I nie robię żadnych postępów.

Nie zabrzmiało to jak wyznanie winy. Wręcz przeciwnie.

– A teraz jesteś w której klasie? Ostatnia gimnazjum?

– Skąd wiedziałaś?

Strzeliłam, ale nie muszę tego mówić młodej. Niech myśli, że znam jakiś patent.

– A ty robisz maturę – orzekła, wyjaśniając. – Wiem od babci.

Przytaknęłam, nie okazując zdziwienia.

– Podobno w jakiejś dziwnej szkole dla artystów.

– W Artystycznym Liceum z Klasą – poprawiłam.

Nie jest tak snobskie jak słynna Piątka, ale też trzyma poziom. Dużo warsztatów i zajęć dodatkowych, a w domu – luz. To znaczy nie dla każdego luz. Ja, na przykład, muszę trzymać poziom. Bo rozeszła się fama, że chodziłam do najlepszego gimnazjum w mieście. Jedyna w szkole. Nie wiem, kto był tym faktem bardziej przejęty: uczniowie czy belfrzy. Matematyk, na przykład, usadził mnie w pierwszej ławce, a potem przez pół godziny sprawdzał mój zasób wiedzy. Teraz też mu się zdarza, zwłaszcza gdy zawodzą inni uczniowie, więc sporo doczytuję w domu, żeby nie słyszeć: „Myślałem, że Gimnazjon lepiej przygotowuje uczniów".

– Dokładnie III c – ciągnęłam – poszerzony hiszpański, lekcje grafiki i warsztaty tańców latynoskich. Albo karate, do wyboru.

Małej od razu zaświeciły się oczy.

– Rodzice się zgodzili na tyle atrakcji?

– Dlaczego mieliby się nie zgodzić?

– Nie mówią ci, gdzie powinnaś się uczyć? Na jakie masz iść studia? I w ogóle! – dziwiła się.

– Tato przeprowadził ze mną taką rozmowę, na początku liceum.

Czyli w epoce gorzkich żali, na chwilę przed ostatecznym załamaniem i wyjazdem. Wrócił wtedy z dyżuru, tak sfrustrowany, że zabrakło mu słów, by to wyrazić. Klapnął ciężko na tapczan i przez długą chwilę gapił się w ścianę. Nagle spojrzał na mnie i wypalił:

– Czy zastanawiałaś się już może nad kierunkiem studiów?

Ponieważ lubię ofiarować starszym złudzenie, że mają wpływ na moje decyzje, uprzejmie poprosiłam o sugestie.

– Sugestii nie będzie, raczej obietnica. Otóż, moja droga pierworodna córko – na chwilę umilkł, by nadać słowom większe znaczenie – jeśli wybierzesz medycynę, będę zmuszony otworzyć sobie jamę brzuszną. Tępym narzędziem. Bez znieczulenia.

– Nie wygodniej byłoby mnie wydziedziczyć?

– To przestarzałe rozwiązanie. Więc jak będzie?

*

– No i wybrałam dziennikarstwo.

Na razie nie widzę lepszej opcji. Myślałam przez chwilę o historii sztuki. Prowadziłabym potem galerię, jak Charlotte z „Seksu w wielkim mieście". Chodziłabym na wystawy, ocierała się o wielkich artystów, może nawet pozowałabym któremuś. Ale nasłuchałam się od wujka Wąsa, jak wygląda codzienność w galerii. Wszystko sprowadza się do prostej sztuczki: tanio kupić, drogo sprzedać. I regulować rachunki najpóźniej, jak się da. Najlepiej wcale. Więc wolę pracować w kolorowym piśmie. W dziale mody lub urody. Będę chodzić na pokazy, dostawać gratisy, jeździć do SPA. Bajka!

– Szczęściara – mruknęła młoda.

– Nie narzekam.

– Pewnie strasznie za nimi tęsknisz.

Zaraz, zaraz, co to w ogóle za pytanie? Na pierwszej wizycie? I skąd wie, że mieszkam sama?

– Kto ci powiedział o moich rodzicach?

– Babcia. Narzekała jesienią, że piętro wyżej mieszka okropna imprezowiczka. „Puszczona samopas, bez dozoru rodziców – zaskrzeczała, naśladując Naftalinę, trzeba przyznać idealnie. – Dorabiają się w Anglii i nie wiedzą, co się tu wyprawia! Muzyka i tańce od białego rana".

Żadne tańce, tylko modny trening latino. Jedyny, przy którym nie ziewam z nudów. Zaraz to wyjaśnię młodej, jak tylko skończy nawijać.

– Od razu poczułam, że muszę cię poznać – dodała nagle. – Nie spotkałam jeszcze laski, która imprezuje od samego rana.

Chyba jednak nie będę wyjaśniać. Każdy ma prawo do złudzeń.

– Ale nie wiedziałam jak – ciągnęła młoda. – Poćwiczyłam w myślach. I popatrz! Udało się!

Odpowiedziałam uśmiechem, jakim gwiazda wita swoich fanów.

– Chciałabym być na takiej imprezie. – Westchnęła. – Pewnie spraszasz tu pół liceum.

– Nie stawiam na ilość, tylko na jakość. Jestem bardzo ekskluzywna. Wolę bawić się sama niż z przypadkowymi nudziarzami.

– Sama? Ale co to za impreza?

– Najlepsza! Z osobą, którą świetnie znasz, którą bardzo lubisz, a może nawet zamierzasz kiedyś pokochać.

– Też bym tak chciała. – Przygryzła usta. – Ale najpierw muszę się poznać i polubić.

Zerknęła na zegarek.

– Babcia! Na pewno już wróciła. To ja lecę! Dzięki za herbatę i kutię.

– Żaden kłopot! Wpadnij kiedyś – dodałam łaskawie.

Zupełnie nie wiem dlaczego. Bo i po co mi znajomość z wnuczką Naftaliny, której przeszkadzają nawet moje sporadyczne treningi latino? Mam nadzieję, że potraktuje to zaproszenie jak pytanie retoryczne. Nie będzie odpowiadać.

*

Niestety bardzo się myliłam. No cóż, wujkowie mieli rację, powtarzając, żeby nigdy nie wyskakiwać przed orkiestrę. Mam za swoje, mruknęłam, obrzucając młodą chłodnym wzrokiem. Stała na baczność. Metr za wycieraczką, jak poprzednio.

– Bo... bo mówiłaś, żebym wpadła – zaczęła.

– Oczywiście, zapraszam. – Natychmiast weszłam w rolę. – Kutia już nie działa, niestety. Ale mam zamrażalnik pełen pierogów.

– Chyba wolałabym ocet.

Jeszcze czego! To moja zabawa.

– Dostaniesz herbatę – oznajmiłam tonem nie znoszącym sprzeciwu.

– Też może być – zgodziła się młoda, wyskakując ze swoich kozaczków.

Powiesiła kurtkę na wieszaku i niepytana poczłapała do kuchni. A potem zajęła mój ulubiony taboret. No proszę, jaka oswojona!

– Masz jakieś imię? – spytałam, nastawiając czajnik.

– Blanka. Moja mama kocha biel, w każdej postaci – wyjaśniła speszona, nerwowo gładząc śnieżnobiały polar.

– Skarpety też masz białe? – zażartowałam.

– Ale duszę w całkiem innym kolorze – zapewniła, od razu przeskakując na inny temat. – Czemu nie włączysz bezprzewodowego czajnika?

Napomknęłam o projekcie eko. A że umiem kreować legendy, młoda była pod wrażeniem.

– Więc jesteście bojownikami eko – wyszeptała podekscytowana.

– Przymierzamy się – poprawiłam skromnie.

– Bierzecie udział w akcjach.

Nie pamiętam, kiedy ostatnio słyszałam w czyimś głosie taki zachwyt.

– Na razie edukacyjnych – oznajmiłam i, widząc minę młodej, dodałam: – Nie masz pojęcia, jakie to ważne. Wiedziałaś na przykład, ile kosztuje produkcja najsłynniejszej lalki Garbi? Niecałe pół dolara. Przeliczając na nasze, wychodzi złotówka. A w sklepie schodzi za czterdzieści.

– Moja kosztowała równą stówę! – przeraziła się Blanka.

– A wiedziałaś – podjęłam, cytując dane z bazy Krejzola – że te lalki robią dwunastolatki z Indochin? I że zarabiają mniej niż dolca dziennie?

– Jak wrócę, posiekam swoją Garbi na miazgę. A potem spuszczę... nie! Spalę w ogródku rodziców.

– Wyprodukujesz przy tym szkodliwe dioksyny. – Z dezaprobatą pokręciłam głową. – Lepiej oddaj lalkę potrzebującym i nie kupuj nowych.

– W życiu nie kupiłam żadnej! – wykrzyknęła. – To wszystko inicjatywa babci. Ja wolałabym miecz takana. Albo chociaż porządną finkę.

– Możesz babci wytłumaczyć.

– Chyba żartujesz! Ona w ogóle nie słucha.

Za to mnie podsłuchuje nieustannie. Może tu tkwi sekret.

– A z rodzicami?

– Ty rozmawiasz o takich rzeczach?

– O tym, co chcę dostać w prezencie? No jasne!

– A o waszym projekcie eko?

– Wielkie mi halo. – Wzruszyłam ramionami. Przecież to tylko zadanie domowe. Nawet tato nie nazwał go inaczej.

– Znaczy, że możesz z nimi porozmawiać o wszystkim – orzekła, zdruzgotana.

– Mogę.

Ale niekoniecznie rozmawiam. Wystarczy mi sama możliwość.

– Uświadomili cię na pewno?

– Sto lat temu – machnęłam dłonią.

Mama uznała, że im szybciej się dowiem, tym lepiej. Więc sprawiła mi książkę: „Ptaszki i motylki". Resztę wiedzy znalazłam w wakacyjnych numerach „Miastówki".

– O chłopakach też pewnie mówili? Żeby uważać i w ogóle?

– Oczywiście, ale bez straszenia – oznajmiłam, z niechęcią przypominając sobie projekcję.

Tata nastawił DVD z filmem Formana „Miłość blondynki" i wyszedł z pokoju, mówiąc, że to nie na jego nerwy. Zaczęłam oglądać. Powalające, zwłaszcza scena podrywu trzech wytapirowanych blondynek. Człowiek pęka ze śmiechu, i nagle... uświadamia sobie, że odarto go z wszelkich złudzeń.

– Rzeczywiście straszny – przyznałam po projekcji.

– Bo prawdziwy. Na ogół tak wyglądają romantyczne przygody. Nie ma w nich grama romantyzmu. Ani magii. Rozumiesz?

Przytaknęłam. Czasem nie potrzeba wielu słów.

*

– Mogłabym do was dołączyć? – spytała znienacka młoda.

Tak po prostu? Bez konsultacji z rodzicami? Zadziwiająca odwaga.

– No wiesz, musiałybyśmy lepiej się poznać – odparłam z wahaniem.

– Chętnie poddam się wszystkim testom. Tylko dajcie mi szansę!

Co za desperacja. Strach pomyśleć, jak ją traktuje biologiczna rodzina.

– Nie mówię nie. Po prostu potrzebuję czasu, żeby się zastanowić. Ustalić parę spraw...

Na początek przydałoby się wybrać dla młodej pokój. Bo przecież nie zainstaluję jej u siebie w sypialni! Nawet bracki nie dostąpił tego zaszczytu.

– Musicie być ostrożni, wiem! Bo zdarzają się szpiedzy, którzy mogą rozwalić najlepszy projekt.

Ach, więc chodziło o projekt! A ja myślałam...

– Na mnie możecie polegać – ciągnęła, przyciskając dłonie do mostka. – Nigdy bym was nie wydała. Pełna konspira.

– Skoro masz takie ciśnienie, żeby działać, czemu nie przyłączysz się do organizacji?

– Żadnych takich – zdenerwowała się młoda. – Ale z wami to co innego. Tylko wymyśl mi zadanie! Zrobię wszystko!

– Wymyśl, wymyśl – prychnęłam. – Każdy chciałby dostać gotowca. A to nie tak. Musisz sama znaleźć sobie cel. Rozejrzyj się i do dzieła.

– I przyjmiecie mnie wtedy?

– Ze wszystkimi honorami – zapewniłam.

*

To dopiero sztuka. Spławić kogoś tak, by nie poczuł się urażony.

– Brawo Paris – szepnęłam, nasłuchując, z jaką radością Blanka zbiega po schodach.

Młodą mamy z głowy przynajmniej do środy. Co teraz? Czym zapełnić tak pięknie rozpoczęty wieczór? Zaległości... mogą poczekać. Podobnie jak porządki, orzekłam rozglądając się po bardzo dużym pokoju. Kiedy się zgasi górne światła i poprawi poduszki oraz przymruży lewe oko, jest nawet, nawet. Więc sprzątanie odłożę na potem. A dziś sobie odpocznę, urządzając domowe SPA. Rytuał piękna w czterech krokach według „Miastówki". Na początek peeling mydełkiem solnym (dołączonym do letniego numeru). Potem kąpiel przy relaksującym świetle zapachowych świec (świąteczny prezent od redakcji), a później... się zobaczy. Już sama kąpiel jest sporym wyzwaniem. Ze względu na wannę. Szorowanie przypomina mycie jachtu. Po odkręceniu kranu trzeba odczekać przynajmniej kwadrans, żeby woda dotarła do kolan. Spoko, wykorzystam ten czas na zrobienie peelingu. Zdaniem specjalistów z „Miastówki", nic tak człowieka nie odświeża. Ponadto sól ma magiczną moc usuwania niedobrej energii. „Jeśli chcesz rozpocząć nowy etap, użyj mydełka". Więc użyłam, zawzięcie polerując łopatki. Szczypie, to zdrowo, uznałam, przechodząc do ramion. Po kwadransie byłam wygładzona bardziej niż wrocławskie krasnale. Wtedy się zanurzyłam i natychmiast wstałam, sycząc z bólu. No to po kąpieli, orzekłam, zerknąwszy na swoje nogi, czerwone jak u boćka. Może i dobrze, bo leżakowanie w tak dużej wannie bywa nużące. Trzeba mocno się namęczyć, żeby znaleźć punkt podparcia. Inaczej człowiek zsuwa się pod wodę jak wór piachu.

Innych kroków nie będzie, tak zdecydowałam. Peeling wystarczy, by zacząć nowy etap życia. Bez złej energii i bez Bonda. „Miastówkowi" szamani zalecają wprawdzie symboliczne spalenie wszystkich zdjęć (by ostatecznie zamknąć rozdział). Ale nie mam żadnych. Tak się jakoś złożyło. To Bond trzymał aparat, ja tylko pozowałam. Nie będę o tym myśleć, wolę poprawić swój profil na Facebooku. Już tak dawno przy nim nie gmerałam, ale teraz po wyjeździe Bonda powinnam wyrzucić to i owo. Niech widzi, że jestem wolna.

– Gdybyś naprawdę była – orzekł Krejzol – olewałabyś, co sobie Bond pomyśli.

Wpadł do mnie jak zwykle w sobotę. I zamiast pochwalić mój nowy lepszy profil, zaczął wydziwiać.

– Niczego nie kumasz – burknęłam. – To, co czuję, nie ma znaczenia.

– Nawet dla ciebie?

Rzucać we mnie takim pytaniem? Tuż po śniadaniu? Żeby mi się źle trawiło?

– Ale profil całkiem niezły – przyznał Krejzol po chwili. Chyba zrozumiał, że przegina. – Ciekawszy niż nasza stronka.

– Magister Lotos się podobała.

– Dobrze wiedzieć, że kilkanaście sobót nie poszło na marne.

Wyczułam pewną ironię, ale uznałam, że nie dam się sprowokować. Po wczorajszym peelingu mam bardzo osłabiony płaszcz ochronny.

– Może pójdziemy na łyżwy? – zaproponował Krejzol, wyjrzawszy przez balkonowe okno. – Słońce takie, że żal gnić w domu.

„Co ze stroną?" – chciałam zapytać, ale nagle do mnie dotarło: nie warto marnować tak pięknej soboty. Nie dla magister Lotos. A dla innych? Pomyślimy.

*

– To całkiem nowe lodowisko – tłumaczył Krejzol, maszerując tak energicznie, że ledwo nadążałam. – Wylali przedwczoraj na placu w Pięknych Widokach. Prawie nikt o nim nie wie.

– Fajnie. Może będzie mniej ludzi.

Nie chodzi o to, że wstydzę się Krejzola. Po prostu nie przepadam za tłumem, zwłaszcza na lodowisku.

Zamiast się porządnie rozpędzić, trzeba lawirować niczym w szkole. Po godzinie kręcenia się między dzieciakami schodzę z tafli obolała. Od napinania.

– Już widać wypożyczalnię łyżew – cieszył się Krejzol. – Nie ma kolejki, super.

Podchodziliśmy do lady, kiedy usłyszałam znajomy głos, dobiegający z placyku obok. Zerknęłam w tamtym kierunku. Blanka! Ciekawe, co tu robi? Nie musiałam się długo zastanawiać. W jej stronę wyskoczyła rozwścieczona Walpurgia, z policzkami równie bordowymi jak czapa.

– Ty smarkulo! – warknęła. – Ty mnie będziesz upominać? To moje dziecko i mam prawo...

– Masz władzę, nic więcej! – krzyknęła Blanka. – Harpio jedna, bez litości!

Jeśli nie zareaguję, dojdzie do jatki, oceniłam, patrząc na łapska Walpurgii wyposażone w szpony, jakich nie powstydziłby się kondor. Szybkim krokiem podeszłam do grupy.

– Blanka, daj spokój – rzuciłam takim tonem, jakim upomina się psa. – Pozwól pani szarpać własne dziecko. Niech wszystko zostanie w rodzinie.

– A ty... ty...

– Nie jesteśmy kumpelami – wycedziłam spokojnie. – Więc trzymajmy się form przyjętych w cywilizowanym świecie.

– Bezczelna szczeniara – syknęła Walpurgia, zwracając się do kobiety stojącej obok. – Pani słyszała, jakie to wypyszczone. Ja tu syna usiłuję wychować, a ta mała do mnie z ryjem.

– Dzisiejsza młodzież – westchnęła tamta. – Nie ma żadnych oporów.

– Oporów ani hamulców – narzekała inna, w czarnym kapeluszu. – Tylko od razu się rzuca na człowieka z pazurami.

– I kto tu ma pazury – pisnęła Blanka.

– Widzi pani, widzi, jak podskakuje – rozsierdziła się Walpurgia. – Ta druga też nie lepsza!

– Dziś pyskują, jutro kijem kogoś zatłuką – przepowiedziała ta w kapeluszu, nie kryjąc zadowolenia z wróżby.

– Wszystko przez te gry komputerowe – wyjaśnił powód naszej agresji jeden z gapiów.

– Dlatego muszą panie ograniczyć – odezwał się nagle Krejzol, podchodząc do nas. – Zwłaszcza „Tomb Raidera". Bardzo podnosi ciśnienie.

Potem chwycił Blankę za rękaw i pociągnął w stronę alejki. Ja podreptałam za nimi. Kiedy odeszliśmy na bezpieczną odległość, krzyknęłam do roztrzęsionego synka Walpurgii.

– Nie martw się mały, za dziesięć lat sobie odbijesz! Zleci jak z bicza!

Zostaliśmy ostrzelani epitetami. Padło też kilka życzeń dotyczących odległej przyszłości. Ale byliśmy zbyt daleko, by nas trafiło.

– Tośmy sobie pojeździli – mruknęłam, kiedy już wyszliśmy z parku.

– Mogłaś się nie wtrącać – burzyła się Blanka. – Dałabym sobie radę. W domu, jak siedzę sama, to ćwiczę chwyty judo. Z takiej starej książeczki.

Ciekawe na kim?

– Bijatykami nic nie wskórasz – odezwał się Krejzol. – Tylko rozsierdzisz tłum, a babon odbije sobie na dziecku w domu.

– Ale przecież ona go strasznie szarpała. Miałam stać i patrzeć jak wszyscy? Ty byś tak postąpiła?

– Stosuję bardziej wyrafinowane metody – odparłam z pewną wyższością.

Nagle przypomniał mi się szkolny występ. I przerażona twarz Joszka. Ale to był wyjątek, na ogół wybieram inną broń niż cyrkiel. Na przykład ostatnio w drodze na kataloński. *Mijałam właśnie Naleśnikarnię, a tuż obok – faceta, który tłukł smyczą przerażonego beagle'a. Zamiast zwracać uwagę i oberwać złym słowem, uderzyłam inaczej.*

– Niech mu pan jeszcze przywali po nerkach – poradziłam tak głośno, żeby usłyszeli przechodnie w promieniu stu metrów. – I kopniakiem w głowę. Śmiało, chętnie popatrzymy wszyscy!

Dookoła rozległy się śmiechy. Zawstydzony właściciel miał ochotę się odgryźć, ale za co?

– Przecież go nie upominałam – rzuciłam, kończąc opowieść.

Krejzol nic nie powiedział. Przygryzał tylko wargę, dziwnie zamyślony.

– Coś nie tak? – spytałam, trącając go w ramię.

Drgnął, jakbym wyrwała go z drzemki.

– Szkoda, że nie wykorzystałaś tego na stronie – odparł wreszcie i natychmiast zwrócił się do Blanki: – My się jeszcze nie znamy.

Poczułam, że muszę dokonać właściwej prezentacji.

– To jest Blanka, wnuczka sąsiadki z parteru.

– Tej Naftaliny? – Krejzol nie krył zdziwienia.

Parę razy mu wspomniałam o Pytonie spod jedenastki. A w grudniu miał przyjemność ją spotkać. Schodził właśnie ode mnie, tupiąc jak to on, na całą klatkę. Naftalina wyszła na podest, zrugała go od stóp do głów, strasząc wiecznym potępieniem i policją. Zanim zdołał coś odpowiedzieć, znikła w czeluściach swojej pieczary.

– Czesławy Pyton – poprawiłam natychmiast. – Z Blanką poznałyśmy się niedawno. Bardzo docenia nasze działania proeko i chciałaby dołączyć do drużyny.

Młoda ochoczo przytaknęła.

– Widziałaś naszą stronę?

O rany, ten znowu przynudza ze stroną.

– Nie widziała – odparłam za Blankę. – Ale to bez znaczenia, bo chce działać w realu.

– W sieci też mogę walczyć – zapewniła.

Cóż za energia. Najwyraźniej młoda chodzi do kiepskiej szkoły, gdzie niczego się nie wymaga. A potem musi szukać alternatywnych sposobów spalania energii. Spytam ją przy okazji, jak do mnie wstąpi.

Blagierka

*

Co nastąpiło w poniedziałek. Ledwo zdążyłam wyskoczyć ze szkolnych łachów, a już tarabaniła do drzwi.

– Stukasz zupełnie jak twoja babcia – stwierdziłam.

Raz spotkał mnie ten zaszczyt, gdy pewnego poranka usiłowałam wbić gwóźdź. Nie stuknęłam nawet dziesięć razy, kiedy coś załomotało w moje drzwi. Uznałam, że bezpieczniej będzie nie otwierać.

– Bo mi się śpieszyło – wyjaśniła Blanka. – Babcia jest w sklepie, ale za chwilę wróci.

Zrozumiałam. Blanka odwiedza mnie w tajemnicy przed Naftaliną. Poczułam się mile połechtana. Ale nie będę tego okazywać, niech sobie nie myśli.

– Nie powinnaś być na balecie? – rzuciłam surowym tonem. – Albo na angielskim?

– Na lekcjach tenisa. Balet mam w środy – przypomniała z pewnym wyrzutem. – Angielski w czwartki, basen w piątki, a we wtorki ognisko muzyczne.

I pomyśleć, że nawet taki grafik nie wyczerpał zasobów energetycznych Blanki. Straszne!

– Masz wolny czas tylko dla siebie?

– Soboty. Ale co tydzień uciekam z jednych zajęć. Dziś wypadło na tenis. Dlatego tu jestem.

Poświęciła jedyną wolną godzinę na wizytę u mnie. Powinnam się cieszyć czy wręcz przeciwnie?

– A jak tam szkoła?

– Nie mogę się doczekać końca. Chodzę do Gimnazjonu. – Zabrzmiało to jak imię smoka.

– Też go skończyłam. Z wyróżnieniem – dodałam lekceważąco. Niech Blanka widzi, że mam dystans do tych wszystkich szóstek zdobiących kolejne świadectwa.

– Z wyróżnieniem? – pisnęła. – I jesteś taka... taka...

Wyrafinowana? Efektowna? Nie będę młodej podpowiadać, niech sama dopasuje odpowiedni komplement.

– Normalna – wydusiła wreszcie – jakbyś nie chodziła do Gimnazjonu.

Normalna? Niech jej będzie, choć liczyłam na większą kreatywność.

– Było, minęło. – Machnęłam dłonią. – Z perspektywy czasu nawet opowieści siostry Passiflory jawią się niczym baśnie Andersena.

– Was też straszyła? – wyszeptała Blanka, z przejęciem.

– Bo to raz! – prychnęłam. – Przebieg Męki Pańskiej nafaszerowała taką ilością krwawych detali, że trzech uczniów dostało torsji.

Ja też nie wytrzymałam przy opisie przebijania śledziony.

– A przy omawianiu Apokalipsy dopiero pojechała. Te rydwany ogniste, brodaty Bóg przemawiający przez ogromny megafon.

– I na koniec scena rozdzielania bliskich – przypomniała Blanka. – Ci do raju, reszta do kotłów z wrzącym asfaltem. Miałam koszmary przez całą zimę.

Ja również. Niemal co noc budziłam się z okropnym krzykiem, stawiając na nogi pół osiedla. I własnych rodziców. Przerażeni, wypytywali, co się stało. A ja odpowiadałam, że to tylko zły sen. Ani słowa o szkole, nie chciałam, żeby mnie wypisali. Skoro już wybrałam Gimnazjon, muszę wytrwać, powtarzałam co wieczór, zaciskając zęby. Wreszcie mama zaprowadziła mnie do psycholożki. Ta okazała się całkiem miłą, energiczną babką. Nie zadawała zbyt wielu pytań. Wręczyła mi tylko plik testów, prosząc o wypełnienie. Tydzień później z radością oznajmiła, że wszystko w porządku. Po prostu wchodzę w nową fazę. Innymi słowy wyrastam z dzieciństwa niczym z ulubionych sandałków.

– A to budzi złość.

– Stąd krzyki? – domyśliła się mama.

– Właśnie. Głośny protest przeciw utracie czegoś cennego. Raju dzieciństwa. – Psycholożka umilkła, zapatrzona w szarą ścianę. Zaraz jednak odzyskała dawną energię. – Protest niemal podręcznikowy.

Bunt z powodu za małych sandałków? Niech jej będzie, pomyślałam ucieszona, że udało mi się nabrać specjalistkę od prześwietlania duszy. Nie chlapnęłam prawdy nikomu, nawet rodzicom. Więc dlaczego miałabym się obnażać przed młodą?

– Nie powinnaś się tak przejmować – stwierdziłam z pewną troską. – Po prostu traktuj siostrę Passiflorę jak lokalnego Stephena Kinga. Choć powiem ci, że nasza siostra jest dużo zdolniejsza. Ma słowiańską fantazję.

– Za to nie ma ani willi nad oceanem, ani jachtów, ani służby.

– Trzeba wiedzieć, kogo straszyć.

Młoda zrobiła minę kujonki zachwyconej nowym polonistą. Jeszcze chwila, a wyjmie dyktafon i będzie mnie nagrywać. Jakoś mnie to spięło, przyznam. Podziw podziwem. Szacunek – OK, ale nie lubię przesady. Dlatego chyba nie sprawdziłabym się jako gwiazda pop-rocka.

– Wybrałaś sobie pole działania? – spytałam, by odwrócić jej uwagę od mojej osoby.

– Pole tak. Szukam tylko odpowiednich narzędzi, by je przeorać.

– Świetnie, pamiętaj o ekologii – rzuciłam, czekając, aż odsłoni rąbka tajemnicy. Owszem, mogłabym zapytać, ale nie chcę wychodzić na zbytnio zainteresowaną.

– Same naturalne metody – zapewniła Blanka. – Żadnych oprysków.

– Co to za pole? – Nie wytrzymałam.

– Futra. No wiesz, takie z lisów, norek i innych...

– Wiem, z czego robi się futra – przerwałam. Po prostu temat mnie przerasta.

Szukając dobrych wzorców, przejrzałam kilka angielskich stron o ekologii. Na jednej, dotyczącej zwierząt, znalazłam straszliwe fotki. To znaczy żadnej krwi ani nic takiego. Tylko młode liski, przycupnięte w samym rogu drucianej klatki. Od razu pobiegłam zrobić sto brzuszków, na odstresowanie. Potem pompki, przysiady, stanie na rękach, próba wykonania szpagatu, znowu brzuszki. Już prawie mi ulżyło, kiedy sobie przypomniałam, że ja też mam coś na kapturze. Kawałek lisa albo jenota. Zrobiło mi się niedobrze. Jakby w gardle utkwiła wielka gula. Od razu pobiegłam odpruć ten martwy dowód cudzego cierpienia. Ze złością pylnęłam do kosza. Żadnej ulgi. Gula tkwiła nadal. Nigdy już nie założę futerka, nawet z fraglesów, przysięgłam, wracając do ćwiczeń. Wspomnienie tamtych udręczonych lisich oczu męczyło mnie tygodniami. Dlatego postanowiłam, że TEGO tematu nie poruszę na żadnej stronie. Nie dam rady. Ale skoro młoda lubi wyzwania, niech działa.

– Chcę coś robić – wyznała. – Naprawdę, nie na pół gwizdka. Bez udawania!

– „Butelki i kamienie"? – zacytowałam zirytowana. I chyba trochę urażona.

– Znasz CKOD? – ucieszyła się Blanka. – Super. Czuję, że razem coś zdziałamy!

*

Razem? Powiedzmy, mruknęłam, odprowadzając młodą do drzwi. Ale zastrzyk świeżej krwi zawsze się przyda. Bo nagle do mnie dotarło, czemu nasza strona

„nie działa". Wypychamy ją sianem. Nawet jeśli solidnie i bez kantów. Siano to siano.

– Próbowałem ci to uświadomić już na początku – rzucił Krejzol, lekko zirytowany. – Ale byłaś zbyt zajęta zabawą w księżniczkę eko, by mnie słuchać.

Co za bezczelność! Nikogo nie traktowałam równie... hojnie i wspaniałomyślnie, niczym królowa, dokończyłam zawstydzona. Głupio to przyznać, ale Krejzol ma sporo racji. Co nie znaczy, że od razu oddam mu pola.

– Księżniczkę? – wycedziłam. – Może rozwiniesz temat, bo nie kumam.

– Nie wiem, czy jest co rozwijać – burknął trochę tak, jakby się bronił.

– Niby tak cenisz sobie szczerość, a jak cię pytam, nagle cykor.

– Mówisz, masz – wypalił. – Uważam, że mogliśmy zrobić coś dobrego. Ale wolałaś kupować kolejne gadżety, które niczego nie wnoszą.

Gadżety? Przecież wyszukiwałam je wyłącznie w celach edukacyjnych!

– Jakoś ci nie przeszkadzało ich testowanie – odbiłam piłeczkę.

– Bo narzuciłaś taką formułę. Ja zgodny chłopak jestem – wyjaśnił. – Ale wcale mi się to nie podoba. Zakupy i zakupy.

Ludzie to lubią, chciałam powiedzieć. Ale nagle zabrakło mi energii do sprzeczki.

– Co proponujesz?

– Żebyś ograniczyła konsumpcję.

– Przecież ja prawie nic nie jem! – Usiłowałam odwrócić kota ogonem. Krejzol tylko się uśmiechnął z politowaniem i rzucił:

– Ujmę to inaczej. Miesiąc bez zakupów, dałabyś radę?

– A jedzenie? – wyszeptałam, przerażona.

– Nie namawiam cię, żebyś została freeganką.

Nastawiłam ucha, więc wyjaśnił.

– To tacy ludzie, którzy nie kupują niczego. Noszą ubrania z darów, żyją w squatach, zbierają niesprzedane produkty na targu albo jedzą resztki z restauracji, niektórzy przeszukują nawet śmietniki. Prawdziwy recykling.

Resztki z restauracji? Chyba nie jestem gotowa!

– Wystarczy, że ograniczysz zakupy do niezbędnego minimum – ciągnął Krejzol. – Mydło tak, ale bez szaleństw, rozumiesz? I tak przez miesiąc. Dasz radę?

– Wytrzymam nawet cztery – podniosłam stawkę. Niech nie myśli, że jestem mięczakiem.

– Ponad sto dni bez zakupów? Żeby cię to nie zabiło – zakpił.

– Możemy się założyć. – Podałam rękę. – Powiedz o co?

– Jeśli wygram, nauczysz się przyszywać guziki.

– Za to jeśli przegrasz, będziesz mi przyszywać wszyściuteńkie do końca roku – odparowałam, nie myśląc o tym, że to nas wiąże na długie miesiące.

A przecież Krejzol to tylko tymczasowy towarzysz niedoli. Przyszywany kumpel, nic więcej.

– Na twoim miejscu już bym zainwestował w komplet igieł – poradził, złośliwie się uśmiechając.

Zachowałam pokerową twarz (szkoła Bonda), ale kiedy wyszedł, pognałam do łazienki, sprawdzić zapasy kosmetyków. Niczym Rambo przed akcją, szepnęłam, otwierając na oścież wszystkie półki. Zobaczmy, co tu mamy. Balsamów wystarczy mi do końca roku. Pastami mogłabym obdzielić wszystkich sąsiadów. Szamponów, maseczek, żeli... wszystkiego potąd! I najważniejsze: dwie farby do włosów. Kamień z serca. Złoty blond to mój znak rozpoznawczy w szkole i na osiedlu. Gdybym nagle pojawiła się z odrostami... Równie dobrze mogłabym osiwieć. Ale z farbami w zanadrzu to bez znaczenia. Dam radę, orzekłam zadowolona. Zresztą taki detoks od sklepów dobrze mi zrobi. Będę mieć więcej czasu na czytanie lektur i szeroko pojęty rozwój własny. Pytanie tylko, co z ekoblogiem? Czym go zapełnię? Zostało mi kilka nieprzetestowanych drobiazgów i ze trzy ciuszki (w tym letni kapelusz z konopi). Wystarczy na wpisy do kwietnia. Ale co potem? Skupię się na innych sektorach, zresztą nie ma się czym martwić na zapas. Może strony już nie będzie, pomyślałam nagle. Bo i po co ją ciągnąć? Magister Lotos już się pochwaliła Dyrowi i może liczyć na awans. A ludzie z mojej klasy będą za chwilę zbyt zajęci maturą, żeby wyściubić nosy z zeszytów. Oglądalność spadnie do trzech osób tygodniowo (mama, tato oraz przypadkowy entuzjasta). Wtedy zamkniemy projekt.

– Zadanie z głowa – podsumował Chesus.

Zrobiło mi się przykro. Nie chodzi o słowo „zadanie". Nagle dotarło do mnie, że Krejzol miał rację. Mogliśmy to zrobić inaczej. Ale czegoś nam zabrakło.

– Może pasji?

– Chwała Boga! – Chesus uniósł w górę dłonie. – Pasja to cierpienie.

– Ale przecież dzięki pasji walczysz o wolną Katalonię.

– Bo nie mam wyboru, rozumie? A wie, co zrobi, jak Katalonia nareście wolna? Ja będę wolny od Katalonia.

Więc można działać bez pasji? To czemu nam się nie udało?

– Twoja strona jest jak Bornholm – oświadczył Chesus, gładząc opalone czoło. – Ludzie mówią, piękna wyspa, ekologia i natura. Ale jak pojedzie, zrozumie.

Ponieważ nie planuję wycieczki do Danii, poprosiłam, żeby rozwinął temat, ale cwaniak zbył mnie krótkim: „Sama posiuka". I znajdę, nie takie rzeczy wyszperałam w „Miastówce". Ale tym razem mi się nie udało mimo intensywnego przeczesywania wakacyjnych dodatków. Owszem, namierzyłam ze trzy tekściki o „duńskim raju", pisane z perspektywy kanapy. Lukrowane na zielono laurki dla naiwnych. Albo nieuważnych, mruknęłam ze złością. Bo tak samo można by określić naszą stronę. Gdyby nie sektor „Zgniła zieleń". Tam jeszcze tli się życie, ale poza tym... nuda. Nawet jeśli magister Lotos wydaje się zachwycona, ja jakoś nie potrafię się cieszyć. Może dlatego, że w zamieszaniu ostatnich tygodni zgubiłam różowe okulary. A może Bond je zabrał ze sobą. Takie myślenie do niczego nie prowadzi, mruknęłam, przeszukując kolejne forum dla turystów. Dziwne, prawie każdemu Bornholm się podoba. Może Chesus pomylił ją z inną wyspą. I nagle w morzu podobnych postów wyłowiłam jeden krótki. O drzewach. „Wycięto wszystkie w pień. Dopiero w XIX wieku zasadzono nowe. Głównie sosny i świerki. Dziś wyspa chlubi się tym, że dwadzieścia procent jej powierzchni to lasy". „Ciekawe, ile procent zajmują chlewnie" – dopisał ktoś pod spodem, informując, że „Dania to potęga hodowlana, na jednego Duńczyka przypadają dwie świnie. Większość jest stłoczonych na Bornholmie". Ponad sześć milionów świń na jedną małą wyspę? Nie wiem, czy to takie ekologiczne. Przecież, jak przeczytałam ostatnio, na produkcję (co za słowo!) kilograma mięsa zużywa się ponad... czterdzieści ton wody. Tak mnie to ruszyło, że zadzwoniłam do Krejzola.

– Ciekawe, co robią z odchodami.

Ten zawsze o jednym.

– Bo to światowy problem – przekonywał. – Kiedy wyszukiwałem dane do newsów, znalazłem przerażającą informację, że produkujemy najwięcej gówna. My i sześćdziesiąt miliardów zwierząt hodowlanych.

Ile? Chyba się przesłyszałam. Na pewno chodzi o miliony.

– Miliardów – potwierdził Krejzol. – Większość jest zabijana każdego roku. Nie dawałem tego na stronę, bo chciałaś, żeby było miło i przyjemnie.

Poczułam, że muszę się na kimś wyżyć.

– Chciałam, chciałam! A ty nie umiesz powalczyć o swoje zdanie?

– Wystarczy, że walczę w domu.

– Przebierając się w kostium zioma z osiedla Strachy? – prychnęłam. – Twardziel, który daje się kantować szefowi garkuchni.

Krejzol nie odbił piłeczki. Bąknął tylko, że jest zajęty i się rozłączył. Dopiero wtedy do mnie dotarło, co powiedziałam. Już dawno nie czułam się tak paskudnie. Powinnam natychmiast do niego zadzwonić i wyjaśnić, no właśnie co? Że jestem podła, bo posypały mi się plany? Bo odszedł Bond? I nie za bardzo sobie radzę z dorosłością? Już lepiej zwalić na niekorzystny biomet. Albo po prostu przeprosić, bez wciskania ściemy, że to czy tamto. A jeśli Krejzol każe mi się odwalić? Nie może; połączył nas zakład. Choć tyle, odetchnęłam, klecąc w myślach tekst przeprosin. Nie doszłam nawet do połowy, kiedy do drzwi zastukała Blanka. Otworzyłam z miną, jakiej nie powstydziłaby się jej babcia. Ale Blanka zupełnie lekceważy takie sygnały.

– Zadanie wykonane! – oznajmiła, bez pytania włażąc do środka. – Umieściłam wlepki na czterystu siedemnastu punktach strategicznych. Blisko przystanków. Coś nie tak?

Jakby to ująć... cała para poszła w gwizdek.

– Mam wrażenie, że marnujesz energię – odparłam wreszcie. – Takich wlepek nikt nie czyta.

Ja ich nawet nie dostrzegam. Giną w morzu innych napisów i kolorowych reklam.

– Nawet nie spytałaś, jakie dałam hasła – mruknęła Blanka, kiedy już znalazłyśmy się w bardzo dużym pokoju.

– Chętnie się dowiem. – Leciutko ziewnęłam.

– „Kto nosi futra, ten jest nutria" – wyrecytowała z emfazą. – „Czapa z jenota tylko dla kmiota".

Miałam ochotę zaklaskać jak Chesus. Ale uznałam, że dosyć okrucieństwa na dziś.

– A ty co byś napisała?

– Coś bardziej abstrakcyjnego – odpowiedziałam. – Żeby czytelnik się zastanawiał, choć przez chwilę. Na przykład: „Noszę lisa na głowie i rydze w kieszeni".

– Czemu w kieszeni?

Też tego nie wiem.

– Widzisz, już cię nurtuje. Ale jeśli mam być szczera – tu zrobiłam efektowną przerwę – idea wlepek niespecjalnie do mnie przemawia. Są za mało...

– Ja też wolę bardziej efektowne akcje! – ucieszyła się Blanka. – Wymyśliłam nawet, żeby w ramach protestu pociąć babci wszystkie karakuły i nutrie.

Brzmi intrygująco. Zniknąłby wreszcie straszliwy zapach, snujący się po całej klatce schodowej. Już miałam zachęcić młodą do ciachania, ale w porę oparłam się pokusie.

– Nie lepiej dać babci szansę i porozmawiać?

– Już próbowałam, w sprawie Garbi. Wiesz, jaka była odpowiedź? „Tak, to straszne z tymi dziećmi, dlatego powinnaś bardziej szanować swoje zabawki".

– Spryciula.

– Dlatego nie będę więcej gadać, tylko...

– Niszczenie futer jest bez sensu – przerwałam. – Twoja babcia będzie mieć pretekst, żeby sprawić sobie nowe. Zginą kolejne zwierzaki.

Blanka podeszła do ściany i walnęła w nią głową. Z całej siły! Muszę ją uspokoić, inaczej obryzga mi tapety!

– A może nie – dodałam zaraz. – W końcu to spory wydatek. Pewnie wyszuka coś używanego w komisie. Na szczęście nie kupi żadnych – oznajmiłam, siląc się na radość – bo nutrie nadal wiszą w jej szafach.

– Ale będzie obnosić – jęknęła Blanka.

– I sama się kompromitować.

– Ona przecież tego nie wie, że się kompromituje. Uważa, że to eleganckie.

– Tym gorzej dla niej. Pomyśl, że chodzisz po mieście uciapana gównem. I jeszcze się cieszysz.

Blanka przygryzła usta, nadal nieprzekonana. Poczułam, że muszę uderzyć od innej strony.

– Wiesz, fajnie, że trafiłaś do naszej drużyny – zaczęłam.

Zerknęła na mnie spode łba, jakby wyczuła podstęp. Dodałam więc:

– Choć na początku, przyznam, miałam wiele oporów. To nie jest działalność dla mięczaków, rozumiesz?

Ochoczo pokiwała.

– Trzeba mieć odwagę, ale i odporność, żeby w razie czego...

– Nie zdradzić kumpli, nawet na torturach – podchwyciła.

Nie przewiduję żadnych tortur, ale niech jej będzie.

– W każdym razie widzę, że masz potencjał – stwierdziłam, masując palcami brodę jak nasz Dyru. Człowiek od razu sprawia wrażenie poważnego. Takiego, co to nie rozrzuca słów jak confetti. – Szkoda go marnować na jedną bezmyślną osobę. Nic nie zmienisz, a tylko się wypstrykasz.

– To co mam zrobić? – jęknęła.

– Poszerzyć pole walki.

*

– Poszerzę – zapewniła, obiecując, że przedstawi pierwsze wyniki za dwa tygodnie.

Czternaście dni spokoju! Co za ulga. Wreszcie zajmę się tym, co ważne. Nauką! Nie mogę przecież wypaść na maturze jak ostatnia łajza. Musiałabym odbierać świadectwo w czapce niewidce. A to nie w moim stylu. Ja noszę wyłącznie efektowne cyklistówki. I latem słomkowy kapelusz. Dlatego muszę się przyłożyć, zwłaszcza do española. Bo (chcąc się popisać przed moją ekipą), wybrałam go na ustny. Z mówieniem nie ma problemu, gorzej gramatyka, sporo już zapomniałam. Na szczęście mam czas i święty spokój. Dam radę, oznajmiłam sobie i Naftalinie krzątającej się po balkonie. Niby przestawia puste donice, a tylko czeka na sygnał do ataku. Aż mnie korciło, żeby otworzyć okno i udając, że rozmawiam z kumpelą, ogłosić, że robię megaimprezę w sobotni wieczór. Melanż stulecia, z muzyką, od której pęka szkliwo na zębach. Dodałabym jeszcze, że zapraszam znajomków z całej ośki. A potem włączyłabym telewizor i w piżamie czekała na wizytę straży. Albo policji. Naftalina miałaby się z pyszna. Kolejny strzał ślepakiem. Już odsuwałam firankę i nagle mi się odechciało. To jak drażnienie psa. Biedak się piekli, a ktoś ma polewkę. Nie będę się zniżać do takiego poziomu. Choć miło pomarzyć, przyznałam, biorąc się do roboty.

Najpierw postanowiłam namierzyć wszystkie książki do hiszpańskiego. Chesus podarował mi całe pudło, kiedy czyścił przestrzeń osobistą. Pytanie, gdzie się pochowały. W pudle od dawna ich nie ma. Po godzinie szeroko zakrojonych prac wykopaliskowych udało mi się wygrzebać trzy gramatyki, repetytorium zbite w porządną cegłę, oraz ogromny słownik. Wystarczy, uznałam zziajana, taszcząc książki do bardzo dużego pokoju. Bo na biurku nic się już nie zmieści. Jest tak zawalone, że gdyby dołożyć jeden mały ołówek, załamałoby się na amen. Usiadłam wygodnie na kanapie, otworzyłam pierwszy podręcznik i zaczęłam dziobać. Zdanie za zdaniem, rozgryzając każde na miazgę. Po dwóch godzinach byłam tak napchana wiedzą, że głowa mała. Muszę się przejść, żeby mi się ułożyło. Odetchnę świeżym powietrzem, przetrawię, co wchłonęłam, i wrócę do książek. Więc wyruszyłam, kręcąc się po osiedlu, i sama nie wiem, kiedy znalazłam się przed Naleśnikarnią. Skoro już tu jestem, sprawdzę, czy jest Krejzol. Przywitam się, przeproszę i pójdę przed siebie.

Wyprostowana, podeszłam do baru. Spytałam o Alana.

– Światowiec? Nie pracuje – burknęła menadżerka sali.

– A kiedy ma dyżur?

– Mówiłam, że nie pracuje – powtórzyła obrażona, na mnie, a może na Krejzola.

– Zwolnił się?

– Żeby tylko! Obraził samą górę – wyszeptała zgorszona i niepytana zaczęła opowiadać. – Wpadł jak meteoryt i prosto do szefa. Tam powiedział, co myśli o naszych naleśnikach firmowych. A na koniec strzelił czapką o ścianę, aż tynk poszedł, i oświadczył, że nie będzie się dokładał do masowej produkcji łajna. Łajna! Wyobrażasz sobie?

Jestem w stanie.

– Szef tylko warknął, że może zapomnieć o pensji. Mnie też się dostało, rykoszetem – wyjawiła. – Za to że przyjęłam Światowca na okres próbny. A skąd ja mogłam wiedzieć, że furiat? Taki spokojny był na rozmowie, do pensji nie miał zastrzeżeń, nadgodziny brał w każdą niedzielę. I nawet nie podkradał składników – dodała, bardzo tym faktem zdziwiona. – Aż tu nagle przychodzi i piana.

– To było przedwczoraj? – upewniłam się.

Przytaknęła. Więc Krejzol wparował do Naleśnikarni zaraz po naszej kłótni. Rzucił pracę przeze mnie. Niby dobrze, bo miejsce badziewne, ale wolałabym, żeby sam zadecydował. Nie czułabym się tak obciążona. Próbowałam się pocieszać, że taki dobry kucharz znajdzie posadę od ręki. Ale wcale mi nie ulżyło. W tej sytuacji mogłam zrobić tylko jedno: zadzwonić. Krejzol odebrał po dwudziestym sygnale.

– Stało się coś? Bo zajęty jestem – mruknął.

– Chciałam cię przeprosić za środę. To było poniżej pasa.

– Poniżej kostek nawet – odparł. – Dlatego prawie nic nie poczułem.

Prawie robi sporą różnicę.

– Krejzol, naprawdę mi głupio. I jeszcze się zwolniłeś z Naleśnikarni – wtrąciłam. – Dlatego chciałabym się zrewanżować jakoś.

– Chcesz mnie zatrudnić do mycia okien?

Nic nie odparłam, nie byłam w stanie.

– Przeprosiny przyjęte – burknął wreszcie.

– Więc widzimy się w sobotę?

– Niby po co? Misja zakończona.

– To znaczy, że już nie będziemy dłubać przy stronie? – zdziwiłam się.

– Ty możesz. Ja mam ważniejsze sprawy. Muszę przygotować dekoracje na studniówkę.

Nawet nie zapytałam, z kim idzie. A teraz jakoś mi głupio.

– A co z naszym zakładem?

– Już pękasz? – zarechotał.

Ja pękam? Coś takiego!

– Od tygodnia nie kupiłam nic poza chlebem i kostką masła.

– Jak ci się skończy zapał, zadzwoń, żebym wiedział, co z guzikami.

– A ty zadzwoń, jakbyś zmienił zdanie w sprawie soboty – odparłam. Niby żartem, ale na serio liczyłam, że zadzwoni.

*

Przesiedziałam pół dnia, hipnotyzując kremowy telefon retro. Zdaniem Kamy to działa, tylko trzeba mocno się wpatrywać, najlepiej w słuchawkę. I powtarzać scenicznym szeptem: „Zadzwoń, zadzwoń, zadzwoń". Niestety, mnie się nie udało. Może dlatego, że robiłam przerwy. Może gdybym przykleiła się wzrokiem i wytrzymała trzy godziny. W każdym razie telefon milczał jak zaklęty, więc zrezygnowana wzięłam się do hiszpańskiego. Ledwo liznęłam czasy zaprzeszłe, kiedy usłyszałam dzwonek. Natychmiast rzuciłam się do słuchawki.

– Jednak zmieniłeś zdanie!

Ktoś cicho odkaszlnął i usłyszałam głos Blanki.

– Skąd masz mój numer? – zdziwiłam się.

– Z notesu babci.

Po co Naftalinie mój numer? Przecież kontaktuje się ze mną tylko przez strażników. Albo policję.

– Skąd dzwonisz?

– Wyjrzyj przez okno.

Wyjrzałam, Blanka stała na barierce balkonu, z komórką w dłoni. Gdyby to było drugie piętro, dostałabym zawału. Ale i tak zrobiło mi się gorąco.

– Zejdź natychmiast – krzyknęłam do telefonu. – Bo więcej się do ciebie nie odezwę!

Posłuchała natychmiast, zeskakując lekko, jak na elfa przystało. Więc ten przyciężki krok to ściema dla niepoznaki.

– Gdzie masz babcię?

– Wyszła na próbę chóru i zamknęła mnie przez pomyłkę. Wróci dopiero za godzinę. Strasznie się nudzę!

– Możemy pogadać przez telefon albo ubiorę się ciepło i wyjdę na balkon.

– Wymyślę coś lepszego – odparła. – Poczekaj pięć minut.

Znikła w pieczarze Pytona, więc pobiegłam po kurtkę. I jakiś pasujący do niej szalik. Wiem, że to tylko zwykłe wyjście na balkon. Ale ja nie znoszę kolorystycznych dysonansów. Od razu swędzą mnie od tego spojówki. Jakbym dostała uczulenia. Dlatego zawsze uważnie dobieram rzeczy, nawet kiedy jestem bardzo spóźniona. Przymierzałam właśnie śliwkowy szalik, kiedy na balkonie coś zaszurało. Dopięłam kurtkę, poprawiłam szalik i powoli otworzyłam balkonowe drzwi. Z barierki zwisała gruba lina, a na niej Blanka. Co teraz?! Jeśli krzyknę, może się przestraszyć, spadnie i ręka złamana. Naftalina będzie miała używanie. A ja wyrzuty do końca życia! Z braku lepszych rozwiązań, zamknęłam oczy.

– I już – oznajmiła Blanka, przełażąc przez barierkę.

– Ciekawa jestem, jak wrócisz.

– Tak samo, żaden problem. Wspinałam się po wyższych ścianach. I po mostach.

– Niemożliwe!

– Raz nawet wywiesiłam transparent kumplowi anarchiście. Przeciw wojnie w Iraku. Ściągali go potem pół dnia. A mnie zeszła godzinka. – Zadowolona, otrzepała dłonie. – Masz coś do zjedzenia? U babci wszystko dziwnie smakuje.

Pewnie naftaliną, pomyślałam, zaglądając do swojej lodówki.

– Tak myślę, czy nie powinnaś się zapisać do Greenpeace albo WWF. Do jakiejś wielkiej organizacji, gdzie mogłabyś pokazać, co potrafisz.

– Nie ma mowy.

– Dlaczego? – spytałam, wyciągając kolejne miski z frykasami.

– Bo już byłam w Koniczynie – odparła, a potem zaczęła się znęcać nad skórkami małego palca. – Przyjaciółka mnie namówiła. Taka jedna Judyta z naprzeciwka.

– Fajnie?

– Nie bardzo. Bo się okazało, że to było ukartowane. – Znowu zatopiła drobne ząbki w małym palcu. Że też to jej nie boli.

– Ukartowane? – Zrobiłam bardzo zdziwioną minę. To zachęca do zwierzeń, bardziej niż inne sztuczki.

– Chrzestny Judyty ma lisią fermę. Strasznie go złościło, że Koniczyn uświadamia ludzi. Więc szukał na niego haka. I znalazł.

Nie zapytałam jakiego. Czułam, że Blanka sama mi powie.

– A potem poprosił Judytę, żeby zachęciła mnie do akcji w Koniczynie. Natychmiast się zapisałam. I niemal z marszu poszłam na pikietę przeciw futrom. A tam już czekali ochroniarze. Od razu do mnie, legitymację poproszę. Rodzice dostali wezwanie do szkoły. No i miałam szlaban przez całe wakacje. Zero komputera, zero telewizji i co najgorsze, zero lodów truskawkowych.

– Aż tak nabroiłaś?

– Nie byłam pełnoletnia – wyjaśniła. – Według regulaminu powinnam przedstawić zgodę rodziców, żeby brać udział w akcjach. O czym nie wiedziałam.

Znowu umilkła. Jeszcze chwilę i z jej palca wynurzy się kość.

– A chrzestny Judyty wiedział – domyśliłam się.

– Ona również. W nagrodę dostała kołnierz.

Umilkła. Może powinnam ją pocieszyć? Pogłaskać po głowie? A jeśli się przestraszy i mnie dziabnie w rękę? Nie, chyba sobie daruję. Zresztą nie jestem przyzwyczajona do takich gestów. Nie było okazji, żeby potrenować.

– Co robisz za tydzień? – odezwała się nagle Blanka. – Mam superowy pomysł na akcję i chciałam cię wyciągnąć.

– W sobotę? Nie mogę. Studniówka.

– Idziesz na studniówkę! – W głosie Blanki brzmiał taki zachwyt, jakby chodziło o bal Kopciuszka.

– Nie ma się czym podniecać. Jeszcze jedna nudnawa impreza pod czujnym nadzorem grona.

– Chyba żartujesz! To największy bal od czasów komersu. Dorównuje mu tylko osiemnastka.

Też tak myślałam, jeszcze jesienią. Ale niedawno musiałam dokonać pewnej korekty.

– Na pewno masz już ekstrakieckę.

– No ba.

Przybyła z Londynu razem z kreacją sylwestrową. Niestety, nie mam ich gdzie założyć. Chyba, że poszłabym sama. Klasa przyjęłaby to ze zrozumieniem, może nawet współczuciem (zwłaszcza Mikołaj). Ale jakoś nie bawi mnie odgrywanie roli słomianej wdowy. Nie w tym wieku i nie przed ślubem. Którego zresztą nie będzie! Więc muszę znaleźć wystarczająco dobry powód, by się wymigać. Kiedyś w podstawówce myślałam, że najlepiej zwichnąć sobie kostkę albo uszkodzić kolano. Ale tato szybko wyprowadził mnie z błędu, ze szczegółami opisując wszelkie możliwe powikłania. W efekcie ze strachu przed kontuzją odstawiłam rolki i łyżwy.

Po roku mi przeszło, ale już wiem, że nie wpędzę się w chorobę tylko po to, by się wykręcić. Zachować twarz kosztem nogi to marny interes.

– Idziesz z Krejzolem?

Jaka ta Blanka wścibska. Jeszcze trochę i dorówna własnej babci.

– Też pomysł! – obruszyłam się.

– Przecież to fajny koleś. Poza tym co ci szkodzi, skoro nie masz nikogo...

– Mam Bonda.

– Babcia mówiła, że uciekł do Sielankowa.

Muszę poszukać podsłuchów. I od dziś będę domykała lufcik.

– Do Galway – poprawiłam. – Nie uciekł, tylko wyjechał do pracy. To spora różnica.

– Ale na studniówce go nie będzie – zauważyła. Co mnie bardzo zirytowało.

– Myślisz, że wszędzie trzeba chodzić z facetem?

– Ja nie chodzę – wypaliła. – I wcale nie żałuję. Chłopaki to tchórze.

– Byłaś z jakimś, że tak mówisz?

Blanka spuściła głowę. No tak, powinnam się tego domyślić. Najpiękniejsze dziewczyny na ogół trafiają na zarozumiałych cwaniaczków. Reszta nie ma odwagi poprosić ich nawet do tańca. Wiem, bo sama to przerabiałam w Gimnazjonie. Więc kiedy pojawił się Bond, wzięłam sprawy w swoje ręce. Ale Blanka jest inna. Przypomina trochę schroniskowego psa, który stoi z boku i wcale nie usiłuje wkraść się w łaski. Poza tym jest zbyt ładny, a ludzie wolą adoptować bidusia bez łapki czy bez oka. Ewentualnie radosnego burka, który nie będzie sprawiał problemów. Lub grzeczną sunię rasy york. Te najpiękniejsze, zjawiskowe psy z charakterem czekają długie lata. Chyba że znajdzie się koneser, westchnęłam. I nagle zrozumiałam, że muszę młodą pocieszyć.

– Taka laska jak ty może mieć ekstraboja – zaczęłam.

– Akurat.

– Ale nie musi – podkreśliłam. – I to jest najfajniejsze. Że my, dziewczyny, wreszcie możemy bawić się same.

*

– A jednak Paris zostaje w domu – przypomniał Chesus. – Zamiast bawić.

– Bawić się? Na studniówce? – parsknęłam. – Chyba żartujesz? Tam się idzie w zupełnie innym celu. Żeby utrwalić wizerunek budowany przez lata.

Dlatego jedyne godne wyjście to… zostać w domu. Nagle poczułam złość do Bonda. Za to, że rozwalił mi najważniejszą imprezę. Pal licho urodziny. Będą za rok! Ale studniówka? Nie ma ważniejszej, w sensie promocji. Dlatego szykowałam się do niej już od gimnazjum. Cholerny Bond. Przez niego to wszystko. Mógł odczekać z zerwaniem kilka tygodni. Owszem, wściekałabym się, może nawet bardziej niż teraz. Ale mojej klasie zostałyby megafotki. Cholerka! Nie tak to miało być. Nie tak! Może powinnam poprosić o pomoc? Zanim rozkleję się na amen? No dobra, jeden jedyny raz, wyszeptałam, stukając morsem sygnał SOS. I jeszcze raz, dla pewności. Nie wzywałam mamy tyle miesięcy, że mogła sobie zapomnieć. Wystarczy, orzekłam, co będzie, to będzie.

Wieczorem, po warsztatach salsy, zaczęłam szykować sobie kolację. Może to za dużo powiedziane. Po prostu wysypałam na talerz wszystkie ekochipsy, których nie zjadła Blanka. Do tego pasztet dyniowy zmiksowany z musztardą. Będzie robił za dip. Posiłek godny gwiazdy, mruknęłam. I właśnie wtedy przyszedł SMS od Aleks. „wlaczkronike jusz!" Jeśli Aleks pisze z błędami, to nie przelewki, pomyślałam, sięgając po pilota.

Blagierka

Pstryknęłam, wysłuchałam i zaczęłam skakać aż pod sufit. Zupełnie nie zważając na czujne ucho Pytona. Ale miałam powód do radości; okazało się, że studniówki nie będzie! Nie będzie! Dlaczego? Przeprowadzona znienacka kontrola Resto (lokalu, w którym miała się odbyć impreza) wykazała znaczne zaniedbania. Uszłyby płazem, jak zwykle, gdyby nie mrożące krew w żyłach odkrycie. Otóż inspektorzy sanepidu znaleźli w chłodniach sto kilo mięsa zamrożonego... ćwierć wieku temu. W Szwecji. Podobno wypełniano nim paszteciki, które cieszyły się ogromnym wzięciem na wszystkich imprezach. Właściciel Resto próbował tłumaczyć, że jada to mięso codziennie: „Z jajecznicą. I z rodziną" – dodał, klepiąc żonę po brzuchu. Odpowiedziała zmęczonym uśmiechem. Niestety, sanepid okazał mniej wyrozumiałości, lokal zamknięto aż do wyjaśnienia sprawy. Tym samym wszystkie imprezy w Resto zostają odwołane. Także elegancka studniówka uczniów Artystycznego Liceum z Klasą. I druga dobra wiadomość: niedoszłym uczestnikom zabawy przysługuje zwrot kosztów plus odszkodowanie. Co bardzo mi się przyda, zważywszy niedawne szaleństwa z ekozakupami. Wydałam tyle, że nie starczyło mi na czynsz. Będę miała z czego zapłacić. Wspaniale! Chodzę cała w skowronkach, ale na zewnątrz ponura mina. Po co drażnić własną paczkę? Zebraliśmy się nazajutrz w Gołębniku, żeby ustalić jakieś wyjście awaryjne. I przede wszystkim ponarzekać.

– To była znakomita restauracja, pisali o niej w „Miastówce" – irytowała się Kama.

– Jak skończę prawo, wytoczę im proces – pieklił się Joszko.

– Sprawa się przedawni – zgasiła go Aleks. – Ja to się martwię, czy oni rzeczywiście zwrócą nam kasę. Bo wiecie, jak to jest.

– A ciebie to nie rusza? – zdziwiły się siostry Brönte.

Cholerka, człowiek zapomni się na chwilę i już go namierzą.

– Nie rusza? – prychnęłam. – Miałam iść z Bondem. Specjalnie wziął urlop. Bezpłatny! – dodałam. Niech widzą, jak gościowi zależy. – Trudno – westchnęłam. – Może przyjedzie na replay osiemnastki. Wreszcie was pozna.

Zapadła dziwna cisza. Kama wymieniła szybkie spojrzenie z Aleks.

– Właściwie to zapomnieliśmy ci powiedzieć – odezwała się, nie patrząc mi w oczy. – Że jedziemy w Tatry. Na kurs przygotowujący do matury.

– Prowadzony przez znakomitych wykładowców z UJ – pochwalił się Joszko. Kama dała mu kuksańca, więc umilkł.

– To ostatni moment, żeby się podciągnąć – podjął Mikołaj.

Kurs maturalny w górach? Czemu nic o tym nie wiedziałam?

– My też dowiedzieliśmy się niemal w ostatniej chwili – wyjaśniła Aleks. – Dzień przed sylwestrem. I od razu trzeba było podjąć decyzję. Więc tyrknęłam do Mikołaja. Potem do Kamy.

A na mnie już zabrakło impulsów, pięknie.

– Myśmy nawet chciały do ciebie wykręcić – zapewniły siostry Brönte. – Ale wspominałaś, że jedziesz na tydzień z Bondem, więc i tak nie mogłabyś dołączyć.

Wspominałam? Powinnam chyba spisywać wszystkie blagi, inaczej kiedyś w nich utonę.

– Możemy zrobić imprę potem – usiłował pocieszyć mnie Mikołaj.

Potem, czyli kiedy? Między pisemnym z matmy a ustnym z hiszpańskiego? Powiedzmy sobie szczerze, nie będzie czasu, okazji ani chęci. Tuż po feriach rzucimy się do książek. A po wynikach egzaminów rozlecimy się niczym wypuszczone z klatki gołębie.

– Pewnie – przytaknęłam. – Ale nic na siłę.

Nie warto się narzucać. Skoro wybrali jakiś durny kurs, ich strata. Banda snobów i nudziarzy. Ale to przez nich nie zaprosiłam Krejzola na studniówkę. To dla nich zmieniłam stronę w folder ekologicznej nibylandii. Dla nikogo tak się nie starałam. Nawet dla Czajnika. A teraz jadą sobie w góry. Koniec dołowania, orzekłam. Zmontuję sobie nową ekipę. Dużo fajniejszą! A potem zaproszę ich do siebie. Na najbardziej kozacką imprezę, postanowiłam. Naftalinie też się należy. Zasłużyła na porządny melanż. I muzykę, od której wypadają protezy. Tak będzie, niech tylko się dostanę na dziennikarstwo.

A póki co odkurzę mieszkanie.

*

Ledwo skończyłam, zadzwonił Krejzol.

– I jak tam?

– Muszę cię rozczarować. Nie kupiłam nawet mydła.

Choć nie powiem, kusiło. Powstrzymała mnie myśl o kursie szycia. I pustki w portfelu.

– Miałem na myśli studniówkę – sprecyzował. – Oglądałem Kronikę.

Wieści szybko się rozchodzą.

– I tak się nie wybierałam – wyjaśniłam. – Głupio siedzieć i czekać, aż ktoś poprosi cię do tańca.

– Myślałem, że do takiej gwiazdy faceci ustawiają się w kolejce.

No proszę. Jak chce, umie być całkiem miły.

– A ty idziesz z kimś?

– Nie. Będę robił za DJ-a – pochwalił się.

– Szykuje się ostre granie.

– Możesz do nas jutro wpaść i sprawdzić. Chłopaki się ucieszą – dodał zaraz, żebym sobie nie myślała. – Tylko uprzedzam, że to przaśna impreza. Jak to za Rzeką.

Powiedziałam, że się zastanowię i dam znać koło szóstej. Ale powiedzmy sobie szczerze: nic z tego. Nie chodzi o lokalizację. Po prostu nie umiem improwizować jak Kopciuszek. Zjawia się taki w ostatniej chwili, w pożyczonej sukience, której fason wyczarowała nieznajoma chrzestna. Podrywa najlepsze ciacho na sali i jeszcze świetnie się bawi. To zupełnie nie moja bajka. Ja lubię wyreżyserowane wejścia. Z obstawą. Wszystko przez Bonda. Przyzwyczaił mnie do pewnych standardów, potem znikł. A ja przeżywam. Dziwne, przecież nie byłam zakochana. Więc dlaczego tak mnie boli jego odejście? Skąd ta wyrwa w sercu? Chętnie zapytałabym kogoś doświadczonego, ale nie wiem kogo? Tatę? Odpada. Nie mogę dokładać mu zmartwień. Tyle już przeszedł. Gdyby nie mama, byłoby krucho. Więc może z nią pogadam. Ma taki zdrowy dystans do świata. Dobra, spróbuję, postanowiłam, wysyłając SMS-a. Oddzwoniła zaraz po pracy.

– Denerwujesz się studniówką? – spytała. – Ja przed pierwszą nie spałam aż do rana.

– Ja się tak bardzo nie przejmuję, bo... – wzięłam głęboki oddech. Nie będę ściemniać, i tak się zaraz wyda. – Odwołali imprezę w Resto. Sanepid znalazł przeterminowane mrożonki. Afera na pół miasta.

Mama tak się zmartwiła, jakby chodziło o jej studniówkę.

– Będą inne imprezy – próbowałam ją pocieszyć. – Dużo lepsze, bo nie pod czujnym okiem magister Lotos.

Blagierka

Niby jest specjalistą od relaksacji, a wszystkich spina. Potrafi zestresować nawet księdza Matriksa, a jest to człowiek wyjątkowo wyluzowany. Może dlatego, że żyje we własnym fikcyjnym świecie, gdzie nie mają dostępu żadne demony?

– Studniówka to jednak studniówka.

No tak, mama wie, co mówi. Była aż na czterech. Ja za to nie będę na żadnej, chyba że się wkręcę w przyszłym roku. Bo czasu przecież nie cofnę, choćbym chciała.

– Co na to klasa? Głupio pytam – dodała zaraz. – Przecież wiadomo.

– Najbardziej przeżywa ponoć Dyru.

Dziwne, przecież bywa na studniówkach co roku.

– A gdybyście tak sami...

Sami? To się możemy wybrać na disco. Albo do kina.

– Myśmy na przykład robili kanapki – pochwaliła się mama. – Udekorowaliśmy salę siatką wojskową, przynieśliśmy nawet własne sztućce i talerze.

Kryzysowa łatanina. Dziś to wygląda zupełnie inaczej. Przynajmniej w szkołach z klasą. Zatrudnia się specjalistów, którzy dopilnują wszystkiego. Dobiorą odpowiedni lokal, menu, muzykę, nawet kolor serwetek. Tyle że usługi najlepszych trzeba rezerwować z dwuletnim wyprzedzeniem.

– Czasem warto się odważyć – przekonywała mama. – Improwizowane zabawy mają zwykle najwięcej uroku.

Możliwe, ale tego nie sprawdzimy. Bo nie ma nikogo, kto by nas zmobilizował. Po prostu.

– A ty byś nie mogła skrzyknąć ludzi? – podsunęła. – Przecież cię lubią.

Lubią i pojechali sobie w góry?

– Może. – Lekko ziewnęłam, żeby pokazać, jak mało mi na tym zależy. – Ale to wymaga zachodu. A ja już nie ogarniam, bo testy, sprawdziany. I jeszcze ta strona.

– Ostatnio mało tam wpisujesz – zauważyła.

– Bo tracę motywację – mruknęłam.

– Ktoś cię zgasił?

Miałam ochotę zwalić winę na Krejzola. Ale uświadomiłam sobie, że jednak nie zasłużył.

– Nikt – odparłam. – Po prostu... ludzi nie obchodzi to, co robimy. Chromolą ekologię. – Nawet podaną w formie lekkostrawnego sufletu. – Więc po co się starać?

– Nie myśl o ludziach. Zastanów się, na czym tobie zależy.

Już to słyszałam, w podstawówce. Rodzice zapytali, czemu nikt mnie nie odwiedza. Nawet kiedy jestem chora.

– Bo mieszkamy w Burakach – odparłam.

Były też rzecz jasna inne powody, ale nie chciałam ich zdradzać. Po co psuć rodzicom kolację? Tak rzadko jedzą ją razem.

– Nie masz w szkole żadnych znajomych?

Odparłam, że tylko Czajnika.

– Ale to się nie liczy – mruknęłam. – Bo jego nikt nie lubi, nawet pani od polskiego.

– A ty go lubisz?

Skinęłam głową.

– Więc się liczy – orzekła mama. – Nie patrz na innych. Myśl o sobie.

Nazajutrz, na lekcji polskiego przesiadłam się do ławki Czajnika. Tym gestem ostatecznie odcięłam się od klasy, a klasa ode mnie. Ale wtedy wiedziałam, czego chcę. Dziś mam mętlik w głowie.

– Mnie zależy na zdaniu matury – odparłam wymijająco. – To jest priorytet.

– A co z Bondem? Ostatnio prawie o nim nie wspominasz.

Już chciałam zdradzić, że Bonda nie ma, i dziwnie się z tym czuję. Ale słysząc niepokój w głosie mamy, zrezygnowałam. Wystarczy, że wie o studniówce i naprawdę się martwi.

– Znalazł jakąś pracę i musi się wykazać. Okres próbny – dorzuciłam tonem, który wszystko wyjaśnia. – Zresztą dobrze się składa, bo ja mam co robić. Ślęczę przy biurku godzinami. Nawet nie wiem, kiedy upłynęły ostatnie tygodnie.

Po prawdzie czas nigdy mi się tak nie dłużył. Dni ciągnęły się niczym opowieści księdza Matriksa. I nagle ze zdumieniem odkryłam, że już koniec miesiąca. Kiedy to minęło?

– Praca pracą – odezwała się mama – ale w walentynki to się chyba spotkacie?

Walentynki! Święto rozkręcone tylko po to, by zwiększyć sprzedaż czerwonej bielizny i biletów na durne produkcje dla niepoznaki zwane komediami.

– Oczywiście – zapewniłam. – Bond już mi szykuje romantyczny prezent.

*

Blagierka

I podarował, z samego rana. Wybierałam się właśnie na długi, samotny spacer, by podziwiać oszronione drzewa, kiedy zadzwonił telefon.

– To ja – oznajmił Bond.

Miałam ochotę pobawić się w grę: „Czyli kto?", zalecaną przez miastówkowych ekspertów. Kiedy dzwoni były, dajmy na to Krystian, i mówi: „To ja", należy zapytać: „Piotrek?". Niech nie myśli, że był jedyny. Niby fajna gierka, ale nagle zadałam sobie pytanie: co niby chcę osiągnąć? Zazdrość eksa?

– Poznaję – mruknęłam.

Głupio to zabrzmiało. Ale nie wpadło mi do głowy nic lepszego. Przecież nie zapytam, czemu dzwoni do mnie właśnie w walentynki. Sam wyjaśni w odpowiedniej chwili.

– Chciałem spytać, jak ci się żyje.

– Jak to przed maturą.

Pewnie jeszcze pamiętasz, chciałam dodać, ale w ostatniej chwili zrezygnowałam. Siląc się na złośliwości, pokazałabym tylko, że mnie zranił.

– Dużo nauki?

– Sporo.

– Napięcie rośnie?

– Dzwonisz po to, żeby pogadać o moim napięciu? – Nie wytrzymałam.

– Chciałem spytać, czy żałujesz tego, co się stało – wyrzucił.

Rany, i co mam teraz powiedzieć? Jeśli przyznam, że tak, wyjdę na mięczaka.

– Ma to jakieś znaczenie?

Sięgnęłam po jabłko, odgryzłam kawałek i zaczęłam głośno chrupać. Niech Bond słyszy, że mam dystans do przeszłości.

– Wiesz, dlaczego dzwonię? – podjął po chwili. – Żeby sprawić prezent.

No proszę! A ja tylko tak chlapnęłam, z głupia frant. Żeby uspokoić mamę. Czyżbym miała moc jasnowidzenia?

– Prezent? – Udawałam, że nie rozumiem. – Niby komu?

– Możliwe, że sobie, nie wiem. Postanowiłem, że zadzwonię i wyjaśnię.

– A jest tu coś do wyjaśniania? – prychnęłam. – Skończyłeś studia, znalazłeś świetną pracę, dali ci wypasioną komórkę, kozackie auto. Każdy by się połakomił.

– Chciałem sprawdzić, czy ci choć odrobinę na mnie zależy. Bo przez ostatnie półtora roku nie raczyłaś mi powiedzieć, co czujesz. Ani razu.

– Bo nie wiedziałam. Czasem człowiek nie wie...

To tak jak z filmem. Oglądasz, nie myśląc, czy ci się podoba. Dopiero kiedy widzisz napisy końcowe, dociera do ciebie, że było super. Różnica polega na tym, że w filmie możliwy jest replay.

– Dlatego powiedziałem ci o pracy. A ty spytałaś tylko, kiedy wracam do Sielankowa.

– Miałam cię błagać, żebyś został? Przy dzisiejszym bezrobociu?

– Cóż za altruizm.

– Miałeś mi coś wyjaśnić. – Wróciłam do tematu.

– Owszem. I żałuję, że nie zrobiłem tego w andrzejki. Ale byłaś tak wystraszona wróżbą, że nie chciałem ci dokopywać.

W andrzejki? Wtedy myślałam, że chce się oświadczyć, a chodziło... no właśnie o co?

– Że naprawdę miałem cię chronić – rzucił ściszonym tonem. – Taka praca.

– Wyznaczyłeś sobie misję?

– Przyjąłem zlecenie. Twoi rodzice zapłacili...

– Żebyś ze mną chodził? Niemożliwe! – krzyknęłam.

Przecież ja mogę mieć niemal każdego chłopaka w szkole! Zupełnie za darmo!

– Chodzenia nie było w planie. Miałem cię podciągnąć z historii, czasem zabrać do kina lub na rolki, żebyś nie przyrosła do fotela.

Cholerka! Zdradzili Bondowi nawet to, że mam ołowianą dupę!

– Wysłuchać cię, kiedy trzeba – ciągnął. – Pomagać z tym i owym. Sprawdzać, jak ci się żyje. To wszystko.

– A ten numer z pizzą?

– Chciałem najpierw wybadać sytuację. Wiesz, to jednak niecodzienne zlecenie.

No raczej!

– Więc wyskoczyłem po zajęciach, w ubraniu roboczym kumpla i z pizzą skomponowaną według wskazówek twoich rodziców. Tego samego wieczoru przyjąłem ofertę.

Zakłopotany, odchrząknął i zaraz zapewnił, że:

– To miał być czysty układ. Ale nagle w sylwestra oznajmiłaś, że ze sobą chodzimy. Nie wiedziałem zupełnie, co zrobić!

– Mogłeś się wycofać.

– Chciałem, ale twoi rodzice prosili, żebym cię nie zostawiał samej. Nie teraz. Obiecałem, że wytrzymam do wakacji.

– Wytrzymam? Cóż za szlachetność!

– Kiedy we wrześniu wróciłaś z Anglii, zdecydowałem, że to koniec. Mogę się z tobą spotykać, owszem, ale nie chcę pieniędzy. A resztę historii już znasz.

– Chciałabym wiedzieć jeszcze jedno. Dlaczego się zdecydowałeś?

Przecież tak świetnie sobie radziłam, pomijając incydent ze świecą.

– Bo cię zobaczyłem – odparł Bond, bardzo cicho. – Samotnego wypłosza w bardzo dużym pokoju.

*

Wypłosza? Chyba złożę reklamację w „Miastówce". Niech zrewidują ten cholerny dodatek, przez który jestem... gdzie jestem. W emocjonalnej czarnej dupie. Ale nie będę się mazać, bo tuż obok siedzi Krejzol i bacznie się przygląda. Przed chwilą wyjawiłam mu prawdę. W paru żartobliwych zdaniach. Niech widzi, że się trzymam.

– Rodzinna wersja „Ukrytej kamery" – podsumował. – Co zrobisz?

Wzruszyłam ramionami.

– Powiesz im?

– Po co? Niech zostanie po staremu. To najlepsza kara.

– Nie wiem dla kogo – bąknął cicho i zaraz zmienił temat. – Ciekawi mnie jedna rzecz.

Mnie również: czy Bond zdradził rodzicom, że ustawiam dekorację przed sobotnimi rozmowami. W każdym razie od dziś odkurzam cały pokój. Łącznie z parapetami.

– Co sprawiło, że zaufali temu gostkowi bardziej niż własnej córce.

Wyszłam do kuchni, by przemyśleć odpowiedź. I przy okazji zaparzyć herbatę. Kiedy człowiek jest zajęty krzątaniem, mniejsze szanse, że się rozklei jak źle wydany podręcznik do historii. Nastawiłam czajnik, bezprzewodowy (w takich chwilach zapomina się o ekologii), potem zalałam zielone listki w ulubionym imbryku mamy. Nie powinnam go ruszać, ale po tym, co się stało, chromolę. I wcale się nie przejmę, jeśli straci uszko albo dzióbek! Ja straciłam dziś o wiele więcej. Już, już miałam się rozbeczeć, kiedy zadzwonił telefon. Odebrał Krejzol.

Blagierka

– Witam supernianię – rzucił do słuchawki. – Kogo pan teraz pilnu... sorki, już daję Paris.

Przekazał mi słuchawkę, szepcząc, że to Blanka.

– Co się stało? – spytałam, bez powitania.

– Bo... bo siedzę w kozie i siostra Passiflora powiedziała, że mogę wykonać jeden telefon. Do najbardziej zaufanej osoby, no i... i nikogo innego nie miałam! – chlipnęła.

– Zaraz będę – orzekłam, dodając niczym w filmach. – Wyciągnę cię stamtąd.

– Naprawdę?!

– Słowo Paris. I przestań się mazać. Prawdziwy bojownik trzyma fason, do końca!

Nie wiem, do kogo to mówiłam, do Blanki czy do siebie. I nie chciałam tego rozstrzygać. Lepiej się przygotować do spotkania na szczycie. Rozlałam herbatę do naszych ulubionych kubków. Rozsiadłam się wygodnie w fotelu i sięgnęłam po ciasteczko słodzone stewią.

– Jeszcze ze starych zapasów – wyjaśniłam Krejzolowi, podsuwając w jego stronę talerzyk. – Ostatnie opakowanie.

Nie wziął żadnego.

– Nawet niezłe – stwierdziłam, przełknąwszy pierwszy kęs. – Ale nie wiem, czy smaczku nie dodaje fakt, że stewia jest zakazana. Nie u nas, w Ameryce. Ponoć stanowiła poważną konkurencję dla sztucznych słodzików. – Pochwaliłam się wiedzą wyszukaną na stronie ecco-USA.

Krejzol nie wykazał zainteresowania. Zapytał tylko, czemu nie biegnę do Blanki.

– Kwadrans jej nie zbawi – odparłam, chrupiąc następne ciasteczko. Poza tym muszę się wyciszyć przed rozmową z siostrą Passiflorą. W końcu to nie lada wyzwanie.

– Nie wiem, czy masz nerwy ze stali, czy serce z marmuru – odezwał się po pięciu minutach. – A może w ogóle nic tam nie ma. – Paluchem wskazał mój mostek.

Czasem chciałabym, żeby naprawdę nic tam nie było. Ale wolę nie mówić tego Krejzolowi. Już i tak za bardzo się obnażyłam. Jeszcze chwila i zobaczy, jaka jestem naprawdę. A to byłoby zbyt krępujące. Dla nas obojga.

– No dobra, już nie nudź – ziewnęłam. – Dopijam i lecę. Chcesz mi potowarzyszyć?

Blagierka

*

Podprowadził mnie pod samą bramę.

– Poczekam – oświadczył, wbijając łapy w kieszenie swoich podrabianych lewasów.

– Boisz się, że dam nogę? Spoko! – rzuciłam i weszłam na korytarz.

Dziwne, choć od trzech lat urosłam tylko centymetr, Gimnazjon wydał mi się nagle mały. A na pewno mniej straszny. Nie mów hop, dopóki nie spotkasz siostry Passiflory. To będzie prawdziwy test na dorosłość. Szybkim krokiem pokonałam schodki prowadzące do suteren i znalazłam się przed kozą. To oficjalna nazwa. My, uczniowie, przechrzciliśmy ją na kojec. Niby miło brzmi, a oznacza klatkę dla psa. Taki zamiennik ciężkiego łańcucha.

– Też tu garowałam – wyjawiłam Blance na powitanie. – Już w pierwszej klasie.

– Naprawdę? Za co?

– Zasugerowałam pewne zmiany dotyczące spowiedzi. Otóż zamiast wyliczać przewinienia, poradziłam, żeby opowiedzieć księdzu o dobrych uczynkach. Nigdy nie widziałam siostry tak wkurzonej.

Może sobie wyobraziła własną spowiedź?

– Wcale się nie dziwię – mruknęła Blanka. – Przecież to by rozwaliło cały system. Już nikt by się nie spowiadał, zupełnie.

– Podobno nabroiłaś. – Zmieniłam temat, przybierając surową minę.

Najpierw się skuliła, jakbym ją uderzyła smyczą, a potem zaczęła opowiadać, pociągając nosem.

– No bo przyjechał ten okropny cyrk, w którym zamęczono wielbłąda, a zwłoki spa...

– Oszczędź mi szczegółów, czytałam o tym. – I na wspomnienie fotki do dziś robi mi się słabo.

– Teraz przyjechali bez wielbłąda, ale przywieźli tygrysy w ciasnych klatkach. Więc poszłam zaprotestować. Z własnym transparentem – dodała szybko, zerkając w moją stronę. Jeśli liczy na aplauz, to się zawiedzie. – Tylko tam stałam, nic więcej. Ale nasłali na nas ochronę. I taki jeden, wielki jak betoniara ruszył do mnie z łapami. To ja mu odpysknęłam. To on mnie pchnął na siatkę, więc się broniłam. Wtedy on się wkurzył i złapał mnie za włosy, to go uchlałam w mały palec. Aż chrupnęło. I mnie zgarnęli za napaść.

– Nauki Krejzola nie poszły w las – zakpiłam.

– Przecież miałam rację! Cyrk to barbarzyństwo!

– Rację? – parsknęłam. – Jak stąd wyjdziesz, pożyczę ci „Stulecie chirurgów". Poczytasz sobie, ilu lekarzy mających rację skończyło na wygnaniu albo w psychiatryku.

– Jesteś strasznie cyniczna! – wrzasnęła.

Tylko doświadczona. I sporo czytałam.

– Cyniczna? Ale to do mnie dzwoniłaś, nie do przyjaciela.

– Nie mam żadnego! – wypaliła. – I wcale nie potrzebuję! Ciebie również!

Jaka honorowa! Dobrze, że nie jestem obrażalska, bo młoda miałaby problem. Najpierw dwanaście godzin kozy, potem wizyta zawstydzonych rodziców. A na koniec szlaban na seriale i lody truskawkowe. Aż do matury!

– Siostra Passiflora jest u siebie? – spytałam.

Blanka wzruszyła ramionami i usiadła w najdalszym kącie klatki.

– Idę pogadać, a ty się trzymaj i ciesz, że jesteś człowiekiem.

– Dlaczego? – pisnęła.

– Bo jako schroniskowy piesek miałabyś przechlapane.

I poszłam. Nie powiem, żeby mi się śpieszyło. Przez siostrę spędziłam wiele koszmarnych nocy. Oraz trzy popołudnia w kozie. Było, minęło. Teraz jestem dorosła i bardzo doświadczona. Dam radę, szepnęłam, energicznie stukając do drzwi.

– Szczęść Boże, kogo ja tu widzę – ucieszyła się siostra. – Moja ulubiona recydywistka.

Recydywistka? Siostra jak zwykle koloryzuje.

– Z czym przychodzisz, dziecko?

Na chwilę odebrało mi głos, jak rybie. Odkaszlnęłam, raz, drugi i wreszcie wydusiłam.

– Chodzi o Blankę.

– Wzięła udział w manifestacji. Bez pozwolenia! – zagrzmiała siostra, tak marszcząc brwi, że utworzyły jedną wielką krechę.

Trzy lata temu nie wytrzymałabym napięcia. Ale teraz potrafię trzymać fason. Do końca.

– Wzięła, bo... – odchrząknęłam – ja ją podpuściłam. Nie znoszę cyrku i...

– Ja też nie znoszę. Zabawa kosztem zwierząt obraża godność człowieka.

– No właśnie – podchwyciłam. – To samo powtarzam wszystkim w szkole.

– Ale Blanka zaatakowała strażnika!

– Ciągnął ją za włosy! – krzyknęłam. – Miała stać spokojnie? A może paść na kolana i prosić o cud? Siostra pewnie by tak postąpiła, ale nie każdy ma w sobie tyle...

– Co proponujesz?

Bez słowa otworzyłam torbę i wyjęłam wszystkie płyty mamy. Soundgarden, Nirvana, Alice in Chains. Oraz stary dobry Hey. Siostrze zaświeciły się oczy jak sroce na widok sreberka.

– Uważasz, że mała Pytonówna zasługuje na taką daninę?

Skinęłam głową.

– Mogłabyś wykorzystać dług wdzięczności u swojego taty – przypomniała.

– Mamy osobne konta. Mogę jeszcze dorzucić Rage against the machine.

– Wystarczy.

Przez chwilę gmerała przy habicie, a potem wręczyła mi kluczyk

– Za kwadrans chcę go widzieć z powrotem.

– Dziękuję! – Tylko tyle mogłam wykrztusić.

– A co do tego ochroniarza, grubo się mylisz. Poczęstowałabym go różańcem.

*

Zbiegłam migiem do kozy.

– Jesteś wolna – oznajmiłam, otwierając drzwi na oścież.

– A siostra Passiflora?

– Wszystko już załatwione. Teraz idziemy do Krejzola. Ruchy! – ponagliłam. – Szkoda, żeby rozwalił z nerwów zamek bluzy. To wyjątkowo udana podróbka marki Dyszel.

W dwie minuty już stałyśmy przed budynkiem.

– Nigdzie go nie ma – denerwowała się Blanka. – Może coś mu się stało? Zemdlał albo nawet dostał zawału!

– Już sobie nie pochlebiaj. Na pewno kręci się w pobliżu. O, nie mówiłam? – Wskazałam dłonią postać w zielonej puchówce. – Też nas zauważył. Zaraz będzie. Odprowadzi cię do domu.

– A ty?

– Muszę oddać klucz Passiflorze. Potem lecę na kataloński.

– Myślałam, że chwilę pogadamy...

– O czym tu gadać – przerwałam. – Poszłaś na demonstrację, która i tak niczego nie zmieni.

– A ty co byś zrobiła? – zainteresował się Krejzol, stając za moimi plecami.

– Napisałabym listy do dyrektorów szkoły, żeby przestali kupować zbiorowe bilety na występy. Bo to kiepska rozrywka i strata pieniędzy.

– Myślisz, że nie próbowałam? – uniosła się Blanka. – Wysłałam mejle do wszystkich w Pięknych Widokach i Ścisłym Centrum.

– No i?

– Odpisał tylko jeden. Poradził, żebym zajęła się nauką, bo to nie są sprawy dla dzieci.

– Przyznałaś się do wieku? Gratulejszyn.

Blanka przygryzła blade usta.

– Widzisz, trzeba było udawać – podjął Krejzol. – Słuchaj koleżanki! Jest prawdziwą mistrzynią ściemy.

Na chwilę odebrało mi mowę.

– Ściema? – wycedziłam wreszcie. – Nie ja wykreowałam świat, w którym rządzi. Ja tylko...

– Świetnie się wpasowałaś – dokończył.

– Bo nie chcę być zepchnięta do niszy. Już to kiedyś przerabiałam. Powtórki nie będzie! – orzekłam.

I zanim któreś zadało mi pytanie o przeszłość, odwróciłam się na pięcie.

*

Zapukałam do kantorka siostry Passiflory. Siedziała wpatrzona w stos już nie moich płyt. Położyłam kluczyk na blacie przykrytym szklaną taflą. Pod nią widniały stare pocztówki. Ciekawe od kogo. Od dawnych przyjaciół?

– Kupuję na pchlim targu – wyjaśniła sama. – I co roku dokładam nową.

Jak więzień, pomyślałam. Albo Robinson Crusoe. Odkreśla kolejny rok zesłania.

– Jeszcze raz dziękuję za Blankę – rzuciłam.

Siostra przesunęła płyty w moją stronę.

– Weź je z powrotem.

– Przecież zawarłyśmy układ – przypomniałam urażona. – Poza tym kto daje i odbiera, ten...

– Bzdura jak mało która – odparowała. – Pakujże te płytki.

– Dlaczego?

– To wszystko, co ci zostało po mamie.

– No właśnie! Należą do mnie. Więc mogę je połamać, sprzedać albo wymienić za Blankę.

– Wiesz, dlaczego dałam ci klucz? Nie z powodu płytek. Choć, przyznam, robią wrażenie. Zwłaszcza Soundgarden.

– Więc czemu?

– Ponieważ wstawiłaś się za kimś. W Gimnazjonie ci się nie zdarzyło.

Bo nikt nas do tego nie zachęcał. Uczono nas, JAK wypełniać egzaminacyjne testy i wywrzeć wrażenie na przyszłym pracodawcy, JAK pokonać konkurentów na trudnym rynku pracy i JAK stworzyć wydajny zespół z tymi, którzy przeszli selekcyjne sito. Uczono nas, JAK się ścigać z lepszymi. Nie powiedziano tylko, JAK bronić kolegi z tej samej ławki. Ale siostra dobrze wie, JAK działa Gimnazjon. Uczy tu od wieków, sądząc po ilości pocztówek.

– Bardzo mnie to dziwiło – ciągnęła. – Bo przecież w „Legendach" wybrałaś same ofiary.

Ach, „Legendy miejskie". *Przerabialiśmy je z siostrą Passiflorą, kiedy przyszła do nas na zastępstwo za księdza Andrzeja.*

– Temat lekcji: „Mitologia Greków i Rzymian" – przeczytała, nie kryjąc zdziwienia. – Nie wiem, czemu uczą was o tym na historii.

– No właśnie – podchwycił Arek, klasowy mistrz wazeliny. – Skoro to bogowie, powinniśmy ich poznawać na lekcjach religii.

– Zaraz trafisz na czarną listę, synu – ostrzegła siostra. I zamiast wyjaśnić Arkowi, czym to grozi (naganą? dodatkowym miesiącem w czyśćcu?), zmieniła temat. – Nie będę was zanudzać Marsem ani innymi łobuzami, którzy nabroili, choć de facto ich nie było. Doczytacie sobie u Parandowskiego. A dziś się pobawimy.

Z aktówki wyjęła ogromne plansze. Na nich rodzaj komiksu, ale bez dymków. Same obrazki przedstawiające domki pełne ludzików i zwierząt.

– Niech każdy wybierze sobie bohatera, który mu pasuje. Prześledzi jego losy i dopisze ciekawą historię.

Przyjrzałam się pierwszej planszy, wyławiając od razu trzy postaci.

– Największe bidy – przypomniała siostra. – Kotek z urwanym uszkiem, dziewczynka, która spadła z roweru, i troll, który płakał w piwnicy, ukryty za skrzynką ziemniaków. Inne dzieciaki wybierały królewny na tronie albo pękatych osiłków.

Że też siostra pamięta takie szczegóły. Po tylu latach.

– Królewny były nudne – wyjaśniłam. – Za to u trolla sporo się działo. Człowiek się zastanawiał, co robi w obskurnej piwnicy. I czemu płacze.

Blagierka

– Jak to możliwe, że osoba, która tak szybko zauważa cudze cierpienie, w realu nikogo nie broni?

– Broniłam, dawno temu. Wystarczy.

Siostra rzuciła mi dziwne spojrzenie. Poczułam, że muszę jej opowiedzieć o Czajniku. O tym, jak się pojawił w III d, tuż po andrzejkach.

– Od razu było mu trudno. Bo wiadomo, jak jest z nowymi. Każdy bacznie ich obserwuje i czeka na okazję. A dzieciakom niewiele potrzeba – wtrąciłam. – Śmieszne nazwisko, głupia mina, pękata sylwetka podobna do Czajnika. Choć mnie akurat przypominał bulteriera. Białego, z tym śmiesznym, trochę nieufnym spojrzeniem.

– Moja ulubiona rasa – zdradziła siostra. – To za nim się wstawiłaś?

Nawet nie pamiętam, o co chodziło. Na pewno o drobiazg. Nagle Czajnik zaczął za mną łazić. Niczym schroniskowy pies poczęstowany przypadkowym głaskiem. Na lekcjach ciągle się gapił. Na przerwach siadał tuż obok i nieśmiało zagadywał. Najpierw mnie to złościło. Moja pozycja w klasie była słaba i bez Czajnika. Ale po rozmowie z rodzicami, zrozumiałam, że to jedyna bliska mi osoba w szkole. Nazajutrz przesiadłam się do jego ławki. Wtedy się zaczęło. Emalia z Czajnikiem. Czajnik z Emalią.

– Ale ja to olewałam. Bo nie byłam sama.

Czajnik znosił zaczepki gorzej. W czwartej klasie dał się sprowokować i parę razy „dziabnął" przewodniczącego. Skończyło się nieodpowiednim z zachowania. Rok później, tuż przed świętami, Czajnik popchnął Arka, który najbardziej mnie wyśmiewał. Tłumaczyłam mu, że zupełnie niepotrzebnie. Ale było za późno. Polonistka wściekła się i wezwała rodziców Czajnika, ostrzegając, że następnym razem zawiadomi kuratorium.

– I zawiadomiła. Choć nic takiego się nie stało. Czajnik tylko odrzucił zgniłe jabłko, które Arek włożył mi do plecaka. Niestety trafił w but dyrektora. Nikt nie chciał nam wierzyć, że to czysty przypadek.

– Rysio snajper – mruknęła siostra. – Zawsze trafia, choć nie celuje.

Rozpętała się burza. Po feriach rodzice przepisali Czajnika do szkoły na Zarzeczu.

– Raz go odwiedziłam.

Podjechałam tramwajem na osiedle Strachy. Otworzyła mi babcia Czajnika, obrzucając spojrzeniem nieufnej bulterierki. „Amelia?" – spytała dla pewności. Przytaknęłam. „Daj mu spokój – poprosiła. – Jeśli naprawdę ci zależy, pozwól mu skończyć szkołę". Więc pozwoliłam. Zero spotkań, telefonów, żadnych mejli.

– On nie przychodził?

– Raz. Przyniósł mi fiołki. Powiedziałam, że to koniec, mam dosyć.

Miesiąc później przenieśliśmy się do Ścisłego Centrum.

– Nawet nie wiem, gdzie teraz mieszka i co robi – zakończyłam.

Siostra milczała, bawiąc się kluczykiem. Minęły dwie minuty, cztery.

– To wszystko? – nie wytrzymałam. – Nic mi siostra nie powie? Żadnych kazań ani...

– Dzięki tobie skończył szkołę – odparła cicho.

– Ale jakim kosztem!

Być może już z nikim się nie zaprzyjaźni. Nikomu nie zaufa. Będzie tylko udawał fajnego kolesia.

– Cieszę się, że spotkałaś Blankę – odezwała się siostra, wstając na znak, że audiencja skończona. – Masz szanse kogoś uratować. Nie zmarnuj tego.

*

To był bardzo trudny wieczór, nie tylko ze względu na rozmowę z siostrą Passiflorą. Zadzwonił też tato. Dowiedział się, że nie chodzę już z Bondem. W normalnych warunkach próbowałabym go pocieszać, mówiąc, że to przerwa z powodu matury. Ale ciągle dźwięczały mi w głowie słowa Krejzola: „Mistrzyni ściemy". Wpasowana w system niczym klocek. Muszę powiedzieć prawdę, postanowiłam.

– Zerwaliśmy – przyznałam. – To znaczy zerwał Jarek.

– Dlaczego?

– Myślę, że wiecie.

Tato aż wstrzymał oddech.

– Ja też już wiem – dodałam. – Bond zdradził mi wszystko, ze szczegółami. Walentynkowy prezent.

Umilkłam, czekając na jego ruch. Będzie przepraszał, czy uda, że nie rozumie?

– Nie mieliśmy wyboru – zaczął tato, bez wstępu. – Po odejściu Czajnika tak się zamknęłaś, że nie można było nawiązać z tobą kontaktu.

Wiedzieli o odejściu? Dziwne! Przecież nie wspominałam nikomu ani słowem. Rodzice byli zbyt przejęci anginą brackiego, żeby zawracać im gitarę.

Blagierka

– Kiedy pytaliśmy, odpowiadałaś, że OK, w porządku, że spoko!

Nie chciałam nikogo zamartwiać! A poza tym mam pewną trudność z ekspresją emocji. Co jest podobno męską cechą. Wiem o tym z testu magister Lotos. *Przeprowadziła go na drugiej lekcji wychowawczej, tłumacząc, że w ten sposób lepiej się poznamy jako klasa.*

– Zakreślcie jedną z odpowiedzi – poprosiła, rozdając kwestionariusze.

Wyniki podliczaliśmy sobie sami. I całe szczęście; w pierwszej wersji testu wyszło mi, że jestem męska niczym gladiator. A to dlatego, że:

rzadko płaczę, nawet do poduszki,

denerwują mnie zdrobnienia typu: ciasteczko i piąteczek,

od seriali wolę zapasy,

rzucam skarpety pod łóżko,

nie mogę namierzyć masła, jeśli leży na dolnej półce,

za to zawsze trafiam do celu; choć nigdy nie pytam o drogę.

Dzięki wygodnictwu magister Lotos skorygowałam odpowiedzi tak, by uzyskać wynik 55% (kobiecość) do 45% (męskość). Identyczny jak u reszty dziewczyn.

Prawdziwy wynik zachowałam tylko w głowie. Nie ma powodu, by go zdradzać tacie. Nie w takiej chwili!

– Nie było do ciebie dostępu – ciągnął.

– Więc zatrudniliście agenta? – wypaliłam.

Swoją drogą marny interes. Trzeba było uderzyć do Naftaliny. Składałaby szczegółowe raporty zupełnie za darmo!

– Nie chcieliśmy agenta, chcieliśmy kogoś, kto by zdobył twoje zaufanie.

– Zaufanie za kaskę. Ładnie.

– To nie tak – oburzył się tato. – Terapeutka wytłumaczyła, że z kimś młodszym i nieznajomym nawiążesz lepszy kontakt.

– Terapeutka? Ta od sandałków?

Przytaknął. Cholerka! A ja myślałam, że dała się nabrać. Z taką radością mówiła o moim podręcznikowym buncie.

– Kiedy wyszłaś, pokazała nam twoje testy.

– Przecież tak nie można! – krzyknęłam. – Człowiek się otwiera...

– Ty nie uchyliłaś nawet lufcika – przerwał. – W teście autentyczności uzyskałaś zaledwie trzy punkty. Na dwadzieścia jeden. Reszta to same kłamstwa.

Cholerna autentyczność. Gdybyśmy naprawdę ją cenili, świat wyglądałby zupełnie inaczej. Nie byłoby Emalii ani Czajnika. I na pewno nie byłoby tylu schronisk dla zwierząt.

– Więc zapłaciliście Bondowi, żeby znalazł kod dostępu? – rzuciłam poirytowana.

– Chcieliśmy cię chronić – wyszeptał.

Mogłabym powiedzieć to samo. Ale czy na głos? Dobra, chociaż spróbuję.

– A ja nie chciałam was zamartwiać. Mieliście wystarczająco dużo stresów...

– Gdybym tylko mógł cofnąć czas – jęknął. – I sprawdzić, gdzie popełniłem błąd.

Błąd? Nie było żadnego! Raczej splot niefortunnych okoliczności. W wyniku których jesteśmy, gdzie jesteśmy. Oni w Londynie, ja w bardzo dużym pokoju.

– Co teraz? – spytał, przygnębiony.

Nie wiem, zupełnie. Kompletny mętlik. W głowie i w sercu.

– Na razie chcę odsapnąć – odparłam wreszcie. – Potem się zastanowię. I wtedy dam wam znać.

– Nie chcesz, żebyśmy dzwonili?

Przytaknęłam.

– Poradzisz sobie sama? Wiem, że to głupie pytanie – dodał zaraz – ale naprawdę się martwimy.

– Choć raz mi zaufajcie. Bez tego nic się nie zmieni.

Odłożyłam słuchawkę i dokończyłam kolację: zimny budyń na wodzie. By zagłuszyć brak smaku, wymieszałam go z lentilkami. Wiem, trochę niezdrowo, ale miałam do wyboru tylko kiełki. Budyń z rzeżuchą to zbyt duże wyzwanie, nawet dla kogoś, kto nie myśli o jedzeniu. Bo rozmyśla o czym innym. Teraz także, choć dawno minęła północ i chętnie bym już zasnęła. Ale nie mogę, mimo superpoduszki z olejku rycynowego i lekkiej kołdry z włókien kukurydzy (ostatnie ekoszaleństwa tuż przed zakładem). Według producenta zapewniają doskonały sen. Pod warunkiem że człowiek w niego zapadnie. A mnie się nie udaje. Po drugiej godzinie kokoszenia narzuciłam koc (pod kolor piżamy) i wylazłam na balkon. Popatrzeć sobie na podający śnieg. Być może ostatni tej zimy. Przez ostatnie tygodnie było tak cudnie, a ja to przegapiłam. Jak tyle innych rzeczy. Bo zajmowałam się bzdurami. Co teraz? Najchętniej zatrzymałabym czas, żeby wszystko sobie poukładać jak trzeba. Bo na razie trochę się pogubiłam. Nie wiem, komu zaufać, a kogo wykreślić z bazy bliskich mi osób. I jak mam ocenić to, co zrobili mi rodzice? Powinnam machnąć ręką, jak zwykle? Ale czy to oznacza prawdziwe wybaczenie? Powinnam kogoś zapytać o radę. Ale kogo? Chyba nie Bonda? I nagle zrozumiałam: przecież tu chodzi o mnie. Nikogo nie będę pytać.

*

Zaspałam do szkoły, po raz pierwszy od wyjazdu rodziców. *Wcześniej zawsze budziła mnie mama, dotykając palcem w ucho. Lekko niczym wróżka. Kiedy dołączyła do taty, zaczęłam zasypiać na lekcje. Kiedy spóźniłam się na piątą religię z rzędu, ksiądz Matriks podsunął mi sprawdzony patent. Otóż przed snem należy zmówić trzy razy „wieczne odpoczywanie" za wybraną duszę i na koniec podać dokładną godzinę pobudki. Niestety, moi pokutnicy okazywali zbytnią nadgorliwość i zawsze budzili mnie w środku nocy. Nastawianie budzika w komórce też nie zdawało egzaminu. Owszem dzwonił, ale natychmiast go wyłączałam, nawet nie przerywając snu. Wreszcie wpadłam na sposób. Prosty jak świński ogon. Najpierw trzeba ustawić w budziku opcję „świder" (zdaniem taty budzi pacjentów z najgłębszej narkozy), a potem wynieść komórkę do łazienki. Człowiek zrywa się z wyrka, idzie zygzakiem przez korytarz i trafia prosto pod prysznic. Od tamtej pory nie zaspałam ani razu.*

Ale wczoraj zapomniałam nastawić i dziś rano obudziłam się punkt ósma. Ogarnęłam się w kwadrans i z jęzorem na brodzie wybiegłam z mieszkania. Zjechałam po poręczy jak dawniej, na sam dół, zeskakując tuż przed... Bondem, który majstrował przy mojej skrzynce.

– Wróciłeś do starej pracy? – rzuciłam niby żartem.

Bond zrobił minę Mony Lisy. Uznałam to za uśmiech.

– Chciałem zostawić ci list.

– Nie lepiej wysłać pocztą? Z Sielankowa?

Wiem, nie powinnam. Ale po pięciu godzinach snu człowiek ma prawo do jednej małej szpileczki.

– Pracuję tutaj, w kancelarii. To znaczy za Rzeką – wyjaśnił, nieco zawstydzony.

– Nie w Sielankowie?

– Mają tu filię, przy alei Ziomków – odparł wymijająco.

Kama urządziłaby mu porządne przesłuchanie. „Filię? Nic nie wspominałeś! To w końcu jak było z tym wyjazdem? I co z rzeczami? Podobno je wywiozłeś? A może jednak nie? Ty masz w ogóle wujka? I gdzie właściwie mieszkasz?" Ale ja umiem odpuścić, kiedy trzeba. Zwłaszcza że drążenie wcale nie jest skuteczne. Zamiast wiedzy człowiek zyskuje tylko etykietę „śledczego".

– Co to za list? – zmieniłam temat.

Bond przygryzł usta.

– Nie powinnaś być już w szkole?

Wzruszyłam ramionami.

– I tak nie zdążę na hiszpański. Więc co tam napisałeś?

– Że chciałbym zacząć od nowa. Z czystą kartą.

*

Z czystą kartą? To przecież niemożliwe. Nawet kiedy zaczynasz całkiem nową znajomość, wnosisz doświadczenia z poprzednich. Na przykład Krejzol. Kto wie, jakbym go traktowała, gdyby nie przyjaźń z Czajnikiem. Lepiej? Trudno powiedzieć. Pewnie nie wybrałabym Krejzola do projektu. Może wcale nie musiałabym wybierać, bo chodziłabym do całkiem innej szkoły. Ale właśnie ze względu na przeszłość jestem tu, gdzie jestem: w Gołębniku na dużej przerwie. A obok moja nielojalna ekipa.

– Zmartwiona? – dopytywała Aleks, licząc na to, że przytaknę.

Czym? Że nie mam lepszych znajomych? Widocznie na takich właśnie sobie zasłużyłam. I choć to dziwne, nawet dosyć ich lubię. Nawet Joszka. Zwłaszcza kiedy pomyślę, że za parę miesięcy całkiem zniknie on z mojego życia.

– Będzie mi was brakowało – rzuciłam żartobliwym tonem.

– Brakowało? Chcesz sobie coś zrobić? – przeraziła się Aleks.

– Chcę zdać maturę. Wy również, a to oznacza, że niedługo skończą się duże przerwy.

Siostrom Brönte zaszkliły się oczy. Kama spuściła głowę.

– Możemy przecież dalej się spotykać – odezwał się Mikołaj, ale bez przekonania.

Prawda jest taka, że nasze podium zajmą inni. Nowe roczniki. Potem następne. Zwykła kolej rzeczy. Ale na razie siedzimy razem. W sumie fajnie!

– Jak było na kursie? – zapytałam.

– Dużo cennych informacji – odparł Mikołaj. – Nie do zdobycia w naszej szkole.

– I zupełnie niepotrzebnych – mruknął Joszko. – Co mnie obchodzi, że Zapolska głodowała gdzieś we Lwowie? Przecież wiadomo, że pisanie to żadna kariera. Wielka kasa leży gdzie indziej.

– Ja będę pisać – przypomniałam.

– Kolorowe miesięczniki to zupełnie inna półka – zauważyła Kama, nie bez zazdrości. – Gratisy od sponsorów, fundowane wyjazdy do SPA, imprezki z celebrytami i...

Co za nuda, uświadomiłam sobie nagle. Stać mnie na więcej. Dużo więcej!

*

Jeszcze tego samego wieczoru wysłałam próbne mejle do firm, których adresy znalazłam w „Miastówce". Trzy dni później, po otrzymaniu odpowiedzi, już wiedziałam. Nasza strona ożyje, ale w całkiem innej postaci!

Zaraz po lekcjach tyrknęłam do Krejzola. Zanim spytał o zakład, przedstawiłam mu propozycję nie do odrzucenia. Udział w nowej ekowyprawie.

– Tamto było mydleniem oczu – przyznałam, nie precyzując czyich.

– Teraz dla odmiany trochę lania wody?

Jaki ten Krejzol marudny! Ale mnie nie tak łatwo zniechęcić.

– Żadnego lania – obiecałam. – Za to szykuje się wielka kupa.

Krejzol od razu się ożywił.

– Naprawdę?

– Przyjdź, zobaczysz.

A potem napisałam do Blanki, przez Fejsa: „Kroi się nowa akcja. Zbiórka u mnie w sobotę". W ciągu minuty odpisała: „Będę". Wystarczy.

Potem zabrałam się do pracy. Jeśli mamy odnieść sukces, trzeba się dobrze przygotować. A przede wszystkim nauczyć się odróżniać spośród wielu odcieni zielonego ten sztuczny, choinkowy. Bułka z masłem? Też tak myślałam. Ale firmy potrafią zadbać o wizerunek. Z przodu zadbany ogródek, a śmietnik za górami, za lasami. Albo za oceanem. Jakieś przykłady? Proszę bardzo. Otóż testy kosmetyków, zakazane w Europie, przeprowadza się na królikach w Stanach. Albo na kotach w Azji. Ale kiedy zadasz pytanie, czy dana firma testuje na zwierzętach, spec od PR odpowie: „Skądże! Nasz polski oddział tego nie robi".

– Bo robi filia w Ohio – tłumaczyłam Chesusowi, zbulwersowana. – A to nie koniec przekrętów.

Wielkie koncerny wykupują firmy eko po to, żeby sobie poprawić wizerunek.

– Równie dobrze mogliby zasadzić jedno marne drzewko na dachu biurowca – prychnęłam z pogardą.

– Nie chodzi tylko o wizerunek – wyjaśnił Chesus.

– A o co?

– Znajdzie odpowiedź sama – odparł jak zwykle. – Jeśli naprawdę zielona.

Owszem, jestem. Ale w innym tego słowa znaczeniu. Dziwne! Jeszcze niedawno wydawało mi się, że wiedzę o środowisku mam w małym palcu lewej ręki.

– Chyba w dupa.

Powinnam poznać Chesusa z Krejzolem. Czuję, że znaleźliby wspólny temat.

– Teraz jest w innej części ciała – zapewniłam, trochę na wyrost.

Bo muszę jeszcze sporo doczytać. Na razie znalazłam notkę na temat mojej ulubionej (do niedawna) firmy Bodyhops. Założyła ją aktywistka walcząca o prawa zwierząt. Po jej śmierci spadkobiercy cichcem sprzedali udziały koncernowi znanemu z najgorszych praktyk. Wycinka lasów deszczowych, niewolnicza praca dzieci, stosowanie GMO i oczywiście testy.

Wszystko robione rączkami najemników, w samym koncernie czyściutko. Co z Bodyhopsem? Nazwa została, jakość poleciała w dół, jak pewna księżniczka w walentynkowy wieczór. Żeby odwrócić uwagę od zmiany receptur, trąbiono, że w sklepie używa się papierowych torebek z recyklingu. Że lady są drewniane, a zapachy równie naturalne jak uśmiechy sprzedawczyń. Nawet ja dałam się nabrać. Ale teraz będzie inaczej, stwierdziłam, szykując prezentację na sobotę. Jeśli chcę przekonać Blankę i Krejzola do mojej wizji, muszę użyć naprawdę mocnych argumentów.

*

– Dlaczego tak ci na tym zależy? – spytała mama.

Zadzwoniłam do niej z samego rana. Z bardzo dużego pokoju, którego wyjątkowo nie posprzątałam. Koniec z matriksem. Rodzice mają prawo zobaczyć mnie w naturalnym otoczeniu brudnych kubków, okruszków, pajęczyn i papierzysk, orzekłam włączając Skype'a. Mama odebrała od razu. Jeszcze nigdy nie widziałam jej tak zdenerwowanej. Nawet kiedy bracki złamał obojczyk.

– Przepraszam – rzuciła na wstępie. – To był błąd.

– Był.

– Wiesz, czego żałuję najbardziej? Że widziałam twoje testy. Równie dobrze mogłabym podczytywać twoje mejle.

– W testach bardziej ściemniałam. Stąd wynik – zdradziłam.

– Każdy ma prawo do odrobiny ściemy.

– Naprawdę tak uważasz? – nie dowierzałam. – A co z autentycznością?

Mama przygryzła usta.

– Dla mnie jest równie ważna jak szacunek. Ale czasami... – umilkła. – Wolałabym, żeby tato nie wzdychał tak otwarcie, kiedy słucha Nirvany. Żeby Dawid nie leciał do mnie na skargę z każdą bzdurą. Żeby moja siostra nie okazywała radości z powodu źle ustawionych świeczek na torcie.

– Albo na rodzinnym grobowcu – dodałam.

Odpowiedziała lekkim uśmiechem, który znikł w mgnieniu oka.

– Byłoby miło, gdyby raz na jakiś czas ktoś dla mnie trochę poudawał. Jak ty, przed sobotnią rozmową.

– Bond ci powiedział?

– Nie musiał. Przecież wiem, że nie cierpisz kapci. Ja też ich nigdy nie nosiłam.

Więc chodzi o kapcie, nie dywan. Co za ulga!

– Żałuję tych testów – podjęła znowu. – I jeszcze czegoś. Że przegapiliśmy moment, w którym mogliśmy naprawdę szczerze porozmawiać.

– Rozmawiamy teraz – zauważyłam.

Niektórzy ciągle czekają na okazję. Na przykład Blanka, Aleks, Mikołaj i Krejzol. Choć ten ostatni zapewnia, że już położył lagę.

– Żałuję, że nie jesteśmy razem, naprawdę.

– Zawsze trochę odstawałam – rzuciłam pocieszającym tonem. Ale mamie wcale nie ulżyło.

– Boję się, co dalej z nami będzie.

To akurat zależy od nas. Jak niewiele rzeczy.

– Jeśli chcesz znać moje zdanie, to wierzę, że nam się uda.

– Że nie przegramy jako rodzina?

Przytaknęłam. A widząc, że mamie zwilgotniały oczy, zmieniłam temat.

– Co tam u was? Jak królowa? Co w sklepach? Nowe trendy na wiosnę?

– Nie zauważyłam – przyznała. – Byliśmy zbyt skupieni na tobie. Jak sobie radzisz i w ogóle.

– Spoko!

– Co z Jarkiem?

– Parą już nie będziemy – oznajmiłam. Choć wiadomo, jak jest z Bondem. Nigdy nie mów nigdy.

– Za dużo się stało?

– Za mało iskrzenia.

Więcej emocji wzbudzał Joszko. Czego zresztą będzie mi brakowało.

– Więc koniec?

– Gdzie tam! Za dobrze się razem bawimy. Nikt tak nie tańczy salsy ani z taką radością nie towarzyszy mi na rolkach.

– Świetnie rozumiem. Kiedy usiłuję wyciągnąć tatę na tańce, wzdycha tak ciężko, że paprotce opadają liście. Wtedy zapominam, jaką ważną rzeczą jest autentyczność. – Uśmiechnęła się. – A co z tym kolegą od strony?

– Przychodzi do mnie dzisiaj, razem z wnuczką Naftaliny. Świetna osoba, zupełnie nie przypomina babci – dodałam szybko. – Będę ich przekonywać do nowego ekoprojektu. Zrobiłam taką prezentację, że opad szczęki. Mam nadzieję, że się przyłączą.

– Dlaczego tak ci na tym zależy? – spytała mama.

Choć raz nie będę ściemniać, nawet sobie.

– Bo są ważni jak... kiedyś Czajnik – odparłam. – I... nie chcę tego zmarnować.

*

Ledwo skończyłyśmy gadać z mamą, już przybiegli, tarabaniąc jak dzieciaki chodzące po kolędzie. Nawet nie zdążyłam zdjąć słuchawek z uszu. I odsapnąć po rozmowie. Co Krejzol zauważył natychmiast.

– Wyglądasz, jakbyś przerzuciła tonę węgla – stwierdził, zdejmując kurtkę, grubymi nićmi szytą podróbę Reboosa.

Raczej zrzuciła, pomyślałam, zapraszając obojga do środka.

– Krejzol zrobi herbatę – oznajmiłam. – Chleb już naszykowałam. Posmarowany masłem rzeżuchowym. Wyrób własny.

Krejzol wystawił kciuk, a widząc zdziwioną minę Blanki, opowiedział o naszym zakładzie.

– Wytrzymujesz? – Nie dowierzała.

Z trudem. Ale kiedy zaczynam pękać, wizualizuję sobie Krejzola przyszywającego guziki. Motywacja wraca mi natychmiast.

Zanieśliśmy do pokoju imbryk z herbatą i talerze pełne kromek. Blanka i Krejzol zasiedli na fotelach, ja stanęłam naprzeciw, trzymając w dłoni ostatni numer „Miejscówki" (to znaczy ostatni, który kupiłam). Otworzyłam na stronie siódmej, opatrzonej tytułem: „Wieszaki do lamusa!".

– Redaktorka z entuzjazmem ogłasza powrót mody na apetyczne kształty. Koniec dyktatury chudości! Koniec anorektycznych modelek! Rewolucja? No to patrzcie.

Przekartkowałam „Miastówkę" do strony trzydziestej trzeciej, na której widniały zdjęcia studniówkowych kreacji.

– Przyjrzyjcie się modelkom. Czy jest tu jakaś panna w rozmiarze czterdzieści? Albo chociaż trzydzieści osiem?

– Nie wiem, co to znaczy – przyznał się Krejzol.

Miałam ochotę wywrócić oczami na znak, że mi psuje prezentację. Ale uznałam, że dziś się wstrzymam. Dzień dobroci dla niekumatych amstaffów z Zarzecza.

– Rozmiar trzydzieści osiem to na oko cztery kilo więcej ode mnie – wyjaśniłam.

– Więcej? – parsknął. – Przecież one nie mają tkanki tłuszczowej. Chyba że w ustach.

– No właśnie! A teraz perełka. W tym samym numerze, promującym krągłości, możecie znaleźć superdietę, dzięki której – zacytowałam – „będziesz mogła pożyczać ciuchy od młodszej siostry".

– Kpiny – orzekł Krejzol. A ja przeszłam do przykładu numer dwa, biorąc z ławy „ĘĄ", topowe pismo dla kobiet.

– Na początku mamy zgrabny artykuł o empatii. Wiedzieliście, że jest bardzo modna tej zimy?

Blanka pokręciła głową.

– To już wiecie. Zdaniem naczelnego „ĘĄ" empatia rządzi. W firmach, w modzie, nawet w rodzinie. Warto o niej pamiętać także podczas zakupów. Naczelny też pamięta, aż do czterdziestej strony. Bo potem, proszę. – Wskazałam fotkę z zimową modą. – Hit sezonu. Włoskie kozaki za kolano. Materiał: końska skóra. Jeśli to polski koń, na pewno podróżował z klasą. Empatia do kwadratu.

– Ściema goni ściemę – zirytował się Krejzol.

– Chodzi o coś gorszego niż ściema. O brak szacunku! Jesteśmy traktowani jak stado, któremu można wcisnąć każdą bzdurę. Bo stado nie myśli. I nie pamięta, co było dwadzieścia stron wcześniej.

– Możemy to obnażać! – krzyknęła Blanka. – I piętnować!

– Produkując kolejną stronę, na którą nikt nie zagląda? Nie, my użyjemy innej broni.

Natychmiast nadstawili ucha. Odczekałam siedem sekund, żeby zwiększyć napięcie. I jeszcze siedem.

– Co to za broń? – Nie wytrzymali.

– Śmiech, nie ma skuteczniejszej – odparłam. – Pod warunkiem że się dobrze wyceluje. Dobierając odpowiednią amunicję. My, na początek, będziemy strzelać pytaniami.

– Pytaniami? – Blanka nie kryła rozczarowania.

– W kogo? – zainteresował się Krejzol.

– W pana decydenta z agencji reklamowej, w pana menadżera, speców od PR-u. W tych wszystkich arogantów, którzy obchodząc prawo, lekceważą słabszych. Dla których zasady to tylko pojęcie z chemii nieorganicznej, a empatia to rodzaj zaburzenia. Nie będziemy moralizować ani pouczać. Będziemy ośmieszać, pytając.

– O co?

– Na przykład, dlaczego świnka na reklamie wędlin Szuler nosi spodnie ogrodniczki? Nie ładniej byłoby jej w bikini?

– Przecież to głupie – pisnęła Blanka. – Będą nas traktować jak...

– A teraz niby jak nas traktują? Kim dla nich jesteśmy? Klientem, targetem, portfelem?

– Ja jestem człowiekiem – oburzył się Krejzol.

– Jesteś ziomalem zza Rzeki. Dresem, którego się zatrudnia do obsługi wózka widłowego. Albo do wyrobu paraekologicznych naleśników. Ja jestem ciemną blondynką, która może podawać szefuniowi kawę. A ty naiwną gimnazjalistką. Chyba nie ma gorszego epitetu. Tak nas postrzegają. I to im zaserwujemy. Durne pytania. Oczekując mądrych odpowiedzi, które zamieścimy na stronie.

– Próbowałaś już pytać?

W odpowiedzi wyjęłam reklamę czekolady Miśka.

– Co my tu mamy? – Stuknęłam palcem w obrazek. – Czarna krowa w kropki bordo stoi na tle zielonego wodospadu. Pod spodem napis: „Smakuje, naturalnie". I jeszcze wyjaśnienie, że do produkcji czekolady użyto polskiego mleka. Od szczęśliwych krów. Jak myślicie, o co można by zapytać PR-owców?

– Jak mierzą poziom szczęścia – podsunęła Blanka.

– Dokładnie takie pytanie im wysłałam. Odpowiedziano mi, że ambicją firmy jest utrzymanie wysokich standardów jakości gwarantujących zadowolenie konsumenta. O zadowoleniu krów ani słowa. Zapewniono mnie tylko, że mleko produkowane jest zgodnie z obowiązującymi przepisami sanitarnymi. I na koniec życzono smacznego.

– Sprytnie.

– Dlatego wysłałam do firmy następny mejl z pytaniem, czy wspomniane krowy są równie szczęśliwe jak dzieci pracujące na plantacjach kakaowców. Dodałam, że jeśli odpowiedź przekracza ich możliwości intelektualne, niech zdradzą tylko, jakiej rasy jest krowa na reklamie. Bo moja pani od biologii nie potrafi rozpoznać.

– Odezwali się?

– Brak odpowiedzi to też odpowiedź – rzuciłam, przechodząc do kolejnego przykładu. Wzięłam do ręki telefon firmy Reneta. – Cacucho, prawda? Tyle że się rozłącza w połowie rozmowy. O dziwo, w najciekawszym momencie. Skarży się na to tylu użytkowników, że wreszcie dziennikarze zadali pytanie samemu szefowi: „Co się dzieje z komórką?". Wiecie, co im odparł? Że źle trzymają telefon. Bo trzeba rozmawiać tak, by jak najmniej dotykać obudowy. Więc napisałam do firmy z pytaniem o dokładne instrukcje użytkowania aparatu. Najlepiej opatrzone fotkami. I spytałam, czy mogę umieścić telefon na kiju. A oto mejl, jaki dostałam od działu promocji: „Dziękujemy za zakup naszego produktu" – przetłumaczyłam z angielskiego. – „Dokonali Państwo znakomitego wyboru. Nasz koncern stawia sobie za cel najwyższe standardy kreatywności, integralności, jakości oraz innowacji. Dlatego tworzymy marki, które sprawiają radość każdego dnia. Jeśli mają Państwo dodatkowe pytania, proszę dzwonić do działu obsługi klienta".

– To wszystko?

– Ze strony działu promocji tak. Więc zadzwoniłam pod wskazany numer. Operator skierował mnie do kolejnego działu: obsługi użytkowników indywidualnych. Tam poinformowano mnie, że powinnam zadzwonić do działu uwag i wniosków, gdzie włączyła się automatyczna sekretarka. Bez możliwości nagrywania.

– Kupa śmiechu – orzekł Krejzol.

– No właśnie! Tak nazwiemy stronę! To kto ze mną postrzela?

DZIEŃ PÓŹNIEJ

– Dobry kit to połowa sukcesu. Resztę zapewnia odpowiednio dobrany zespół – wyjaśniłam Bondowi.

Bond to mój były facet i być może przyszły przyjaciel, kto dwie. Jesienią skończył dwadzieścia pięć lat (Ćwierć wieku! Lepiej sobie tego nie wyobrażać!). Jest dorosły, samodzielny i stanowczo za bardzo się o mnie martwi. Choć przecież już nie ma powodów. Dlatego muszę go uspokajać, że nie pęknę.

– Dam radę, spoko. Razem damy.